Die Reisetour – die wichtigsten Sehenswürdigkeiten in einer Rundreise in Bildern

Erlebnisreise durch die PFALZ · Discovery journey PALATINATE · Voyage de découverte de la PALATINAT

© Copyright by:
ZIETHEN-PANORAMA VERLAG
D-53902 Bad Münstereifel · Flurweg 15
www.ziethen-panoramaverlag.de

überarbeitete und aktualisierte Auflage 2013

Redaktion und Buchgestaltung: Horst Ziethen

Texte: Barbara Christine Titz

Englisch Übersetzung:
Gwendolen Webster, Transmit Deutschland
Französische Übersetzung: France Varry, Transmit Deutschland

Produktion: ZIETHEN-PANORAMA VERLAG GmbH

Printed in Germany

ISBN: 978-3-934328-67-9

Das Land wird bewohnt von den Pfälzern, einem lebensfrohen und vom Wein geprägten Menschenschlag. In ein Schema pressen lässt sich der typische Pfälzer nicht; zu viele Völker sind hier im Laufe der Zeit ansässig geworden, wobei sich die Vorder- von den Hinterpfälzern unterscheiden. Die Pfälzer sind für ihre Gastfreundlichkeit und Geselligkeit bekannt. Sitzt man als Fremder in froher Runde, kann es passieren, dass man einen Pfälzer Schoppen, ein Halbliterglas gefüllt mit Wein, zugeschoben bekommt und so in die Runde miteinbezogen wird. Die Pfälzer erfahren gerne Geschichten von anderen und teilen sich selbst anderen gerne mit. Wegen ihrer Derbheit und ihrer nicht zu überhörenden Sprache nennen sie sich selbst „Pfälzer Krischer", Pfälzer Kreischer. Eine Steigerung erfährt dieser Ausdruck noch durch das Zitat des Freiherrn von Knigge: „Sie schreien in einer Mundart, von der man nicht recht weiß, ob man sie für deutsch halten soll."

Viele berühmte Persönlichkeiten stammen aus der Pfalz. Ernst Bloch, der als Philosoph vor allem in Tübingen gewirkt hat, wurde in Ludwigshafen geboren. Georg Michael Pfaff lebte von 1823 bis 1893 in Kaiserslautern, war Unternehmer und gründete die Pfaff-Nähmaschinen-Werke. Georg von Neumayer wurde 1826 in Kirchheimbolanden geboren und als Polarforscher bekannt.

Die Pfalz hat eine wechselvolle Geschichte hinter sich. Sie begann schon früh. Wie Knochenfunde belegen, waren in der Pfalz bereits zur Zeit der Zwischeneiszeiten (400.000 und 200.000 v. Chr.) Spuren von Leben zu finden. Für den Menschen boten sich günstige klimatische Bedingungen. So ist es zu erklären, dass in der Umgebung des nahen Heidelberg einer der ältesten Beweise für menschliches Leben überhaupt gefunden wurde.

Aus der Bronzezeit stammt der goldene Hut, dessen genaue Bedeutung jedoch ungeklärt ist. Wahrscheinlich war er ein kultisches Symbol aus dem 13. Jahrhundert vor Christus. Er wird im historischen Museum in Speyer aufbewahrt.

turies, and there are far too many differences between the people of the Upper and the Lower Palatinate. Hospitality and sociability are, however, the special marks of all Palatines. Any outsiders who find themselves part of an informal get-together may discover that a Palatine "Schoppen" - a half-litre glass of wine - has been thrust in front of them and so they are drawn into the merriment. Because of their earthiness and their typical speech they call themselves Palatine screechers, "Pfälzer Krischer". Freiherr von Knigge further sharpened their self-definition by the following words: "They screech in a dialect of which one is not quite sure whether to consider it German."

Many a famous personality originates from the Palatinate. Ernst Bloch, a philosopher active mainly in Tübingen, was born at Ludwigshafen. Georg Michael Pfaff, an entrepreneur who founded the Pfaff sewing machine company, lived in Kaiserslautern from 1823 until 1893. Georg von Neumayer, born at Kirchheimbolanden in 1826, was to become a renowned arctic explorer.

The history of the Palatinate, which starts at an early date, is varied. Bones excavated here show that evidence of life in the region goes back as far as the time between the last two glacial epochs (400,000 and 200,000 B.C.). There were favourable climatic conditions in which human beings could flourish, which is why one of the oldest proofs of early human life was found here.

A golden hat, the purpose of which has not yet been clarified, has been dated to the Bronze Age. It was probably some kind of cult object, in use around the 13th century B.C. At present, it can be viewed at the Historical Museum of Speyer.

Urban settlements found in the Palatinate date from the second century. For over 400 years, the Roman Emperor ruled over the lands west of the Rhine that belonged to the province of Upper Germania. The capital was Mainz.

province d'où il vient. Mais tous sont accueillants et très sociables. Au café, il n'est pas rare qu'une compagnie joyeuse intègre un étranger après lui avoir offert une chope palatine, consistant en un demi-litre de vin. Les habitants du Palatinat sont très ouverts, ils parlent volontiers d'eux et sont curieux des autres. Conscients de leurs manières directes et de leur parler, haut et fort, ils se nomment eux-mêmes les « Palatins criards ». Une définition à laquelle le baron von Knigge donne encore un peu plus de poids: « ils crient dans un tel dialecte qu'on ne sait pas vraiment s'ils parlent allemand. »

Le Palatinat est le berceau de nombreux hommes célèbres. Le philosophe Ernst Bloch, professeur réputé ayant notamment enseigné à Tübingen, est né à Ludwigshafen. Georg Michael Pfaff, qui a vécu de 1823 à 1893 à Kaiserslautern, était industriel et le fondateur de l'usine de machines à coudre Pfaff. Georg von Neumayer, né en 1826 à Kirchheimbolanden, devint un explorateur polaire célèbre.

Le Palatinat a connu une histoire mouvementée qui a commencé très tôt. On a trouvé des os dévoilant l'existence de traces de vie dès le deuxième interglaciaire, entre 400 000 et 200 000 avant Jésus-Christ. Les conditions climatiques étaient favorables aux hommes. C'est ainsi qu'on peut expliquer la découverte d'une des plus anciennes preuves de vie humaine dans les environs de Heidelberg.

Le Musée historique de Spire (Speyer) abrite le « chapeau d'or », datant de l'âge du bronze. On n'en connaît pas la signification exacte, mais il était sans doute un symbole du culte au XIIIe siècle avant Jésus-Christ.

Des agglomérations urbaines existaient déjà au Palatinat au IIe siècle avant Jésus-Christ. Durant plus de 400 ans, les empereurs romains régnèrent sur la région de la rive gauche du Rhin qui faisait partie de la province Germanie-Supérieure et dont Mayence était la capitale.

Bereits im 2. Jahrhundert vor Christus traf man in der Pfalz auf städtische Ansiedlungen. Über 400 Jahre lang regierten das linksrheinische Gebiet, welches zur Provinz Obergermaniens zählte, die Kaiser des römischen Imperiums. Die damalige Hauptstadt war Mainz. Um 400 ging die Herrschaft an die alemannischen Germanen und später an die germanischen Franken, gefolgt von den karolingischen Kaisern, bis 1214 die Wittelsbacher das Sagen hatten.

Viele Klöster entstanden. In der Zeit der Salier (1024 bis 1125) und der Staufer (1138 bis 1254) war die Pfalz eines der Kerngebiete kaiserlicher Herrschaft. Der Speyerer Dom, eine Gründung der Salier, wurde zur Grabstätte von Kaisern und Königen. Auf der Burg Trifels wurden zur Zeit der Staufer die Reichskleinodien verwahrt. Reichsapfel, Zepter und Krone waren die äußeren Zeichen kaiserlicher Macht.

Nach dem Verfall der kaiserlichen Macht litt die Pfalz unter den nachfolgenden Herrschern. Während des 30-jährigen Krieges (1618 bis 1648) und dem darauffolgenden Pfälzischen Erbfolgekrieg (1688 bis 1697) wurden große Teile des Landes zerstört. Gegen Ende des 18. Jahrhunderts geriet die ganze Region durch Napoleon unter die Herrschaft Frankreichs. Die Fremdregierung brachte der Pfalz auch die Fortschritte der französischen Revolution.

Nach der Niederlage Napoleons im Jahre 1815 kam es zur Neuordnung Europas, große Teile der Pfalz fielen durch Beschluss des Wiener Kongresses Bayern zu. Die pfälzischen Bewohner wollten die Fortschritte, die sie unter französischer Herrschaft gewonnen hatten, jedoch beibehalten. Dadurch entstanden neue Unruhen. Sie gipfelten 1832 in der Versammlung von etwa 30.000 Menschen am Hambacher Schloss. Das Volk forderte mit Nachdruck bürgerliche Freiheit und eine nationale, deutsche Republik. Hierbei wurden auch erstmals

In about 400 A.D., control of the region passed to Germanic peoples; first to the Alemmani, and later to the Franconians. They were succeeded by the Carolingian Emperors until, in 1214, the Wittelsbach dynasty came to power.

At the time of the Salian dynasty (1024 to 1125) and the Staufer emperors (1138 to 1254) the Palatinate was considered the core of the imperial lands. Emperors and kings were buried at the Cathedral of Speyer founded by Salian emperors. The imperial treasures where kept at Trifels Castle in the time of the Staufer emperors, with crown, sceptre, and imperial orb representing the outer signs of imperial power.

After the decline of imperial power, the Palatinate experienced a disastrous period under the next rulers. During the Thirty Years' War (1618 to 1648) and the Palatine War of Succession (1688 to 1697), the country was largely destroyed. Towards the end of the 18th century, the whole region came under French rule, and the foreign government also brought the developments of the French Revolution to the Palatinate.

After the defeat of Napoleon in the year 1815, a new European order was created. In accordance with the terms of the Congress of Vienna, large chunks of the Palatinate fell to Bavaria. The Palatines, however, wished to maintain the improvements introduced under French rule. This was the reason for repeated unrest which culminated in about 30.000 people gathering at Hambach Castle. They firmly requested freedom for the citizens and a national German republic. For the first time the national colours black, red and gold, which had been suppressed until then, were openly shown. The uprising was violently suppressed, but the country did not stay quiet for a long time, because rebellious movements continued the strife. They exploded in the revolution of 1848/49, but this uprising was suppressed, too. Unrest settled very gradually.

Vers 400, cette région tomba sous la domination des Germains alamans, plus tard des Francs germains, suivis par les empereurs carolingiens, jusqu'à ce que la lignée des Wittelbacher prenne le pouvoir en 1214. Au temps des Saliens (1024 à 1125) et des Staufen (1138 à 1254), le Palatinat était une des provinces principales de l'empire. La cathédrale de Spire, fondée par les Saliens, devint la dernière demeure de nombreux empereurs et rois. A l'époque des Staufen, le château de Trifels abritait les joyaux royaux. Le globe impérial, le sceptre et la couronne étaient les insignes du pouvoir impérial.

Le Palatinat souffrit sous les différents successeurs qui arrivèrent après le déclin de la puissance impériale. La guerre de Trente ans (1618 à 1648) et les guerres de succession ultérieures (1688 à 1697), détruisirent de grandes parties du pays. La région entière se retrouva sous la domination française vers la fin du XVIIIe siècle. Le gouvernement étranger apporta également au Palatinat les progrès de la révolution française.

L'Europe se dessina de nouveau après la chute de Napoléon en 1815. Un grand morceau du Palatinat revint à la Bavière après le Congrès de Vienne en 1814/1815. Mais les citoyens du Palatinat voulaient onserver les progrès apportés par les Français. Cela déclencha de nouveaux troubles qui atteignirent leur paroxysme en 1832, à une assembléede quelque 30.000 personnes au château de Hambach. La population exigea la liberté des citoyens et une république nationale allemande. Le drapeau aux couleurs nationales noir, rouge, or, jusque là interdit, fut hissé pour la première fois. La révolte fut violemment réprimée et le pays ne connut plus la paix pendant longtemps. Des mouvements insurrectionnels constants se terminèrent par la révolution de 1848/1849. Elle fut également étouffée, mais la paix ne se rétablit que lentement.

die bis dahin verbotenen Nationalfarben Schwarz, Rot und Gold offen getragen. Der Aufstand wurde gewaltsam beendet. Das Land kam daraufhin lange Zeit nicht mehr zur Ruhe. Aufrührerische Bewegungen hielten an. Sie gipfelten in der Revolution von 1848/1849. Auch dieser Aufstand wurde niedergeschlagen. Nur langsam legten sich die Wirren.

Gegen Ende des 19. Jahrhunderts profitierte die Pfalz von der Industrialisierung. Neue Verkehrswege und Eisenbahnstrecken entstanden. Vor allem die Stadt Ludwigshafen entwickelte sich. Die Aufwärtsbestrebungen wurden mit dem Ersten Weltkrieg jäh beendet. Die Besetzung des Rheinlandes, die Inflation und die damalige Weltwirtschaftspolitik setzten der Pfalz sehr zu. Zu Beginn des Dritten Reiches besserten sich die äußeren Lebensbedingungen kurzfristig. Mitte 1945 wurde die gesamte Pfalz von französischen Truppen besetzt.

Nach dem Zweiten Weltkrieg wurde die Pfalz 1947 Teil des Bundeslandes Rheinland-Pfalz. Dieses Land wuchs im Laufe der Jahre zusammen. Die Pfälzer konnten sich mit ihrem neuen Bundesland identifizieren. Aus dem ehemals recht armen Land entwickelte sich ein angesehener Teil Deutschlands.

Feste werden bei den Pfälzern groß geschrieben. Nicht nur die Weinfeste bieten Anlass zum Feiern. In Landau, zum Beispiel, rollen beim Blumenkorso blumengeschmückte Motivwagen durch die Straßen. In Billigheim-Ingenheim findet der Purzelmarkt mit Reitturnieren und Wettkämpfen statt, die auf mittelalterliche Spiele zurückgehen.

„Ja, schön bist du, oh Fleckchen Erde, am deutschen Strom, am grünen Rhein… Und find' ich einst in deinem Schoße, o Pfälzer Land die sel'ge Ruh', dann ruf ich mit dem letzten Hauche: Oh Pfälzer Land, wie schön bist du."

Towards the end of the 19th century industrialisation came to the Palatinate. New roads and railways were built to improve communications. Particular the city of Ludwigshafen in saw much development. World War I, however, put a sudden end to this progress. The Palatinate suffered considerably from the occupation of the Rhineland, from inflation, and international economic politics. At the start of the Third Reich conditions improved temporarily. In mid-1945, the whole of the Palatinate was occupied by French troops.

After World War II, in 1947, the Palatinate became part of the state of Rhineland-Palatinate. Over time the region united under its new identity, and the rather poor country developed into a respected part of Germany.

As a people, the Palatines have a zest for life and love nothing better than festivals. These are not restricted to wine festivals. In Landau, for instance, flower parades are organised, during which flower-filled floats illustrating various themes roll through the streets in a grand procession.

At Billingheim-Ingenheim a so-called "Purzelmarkt" is held with horse shows and competitions harking back to medieval entertainment. Once a year the Weinstrasse is closed to vehicular traffic a whole day long, leaving it to cyclists and pedestrians only. Both the "burning of the winter" and "Stabauslaufen", symbolically celebrating the end of the winter and the beginning of spring, originated in old pagan customs. And once a year or several times, practically each place invites to its "Kerwe", a cheerful, boisterous fair.

"Yes, you are beautiful, oh, country along the German river, alongside the green Rhine… And when, once upon a time I'm laid to my final rest in your bosom, oh, Palatine country, then I shall call with my last breath: Oh, my Palatinate, how beautiful you are!"

Le Palatinat profita de l'industrialisation à la fin du XIXe siècle. De nouvelles routes et des lignes de chemins de fer furent créées. La ville de Ludwigshafen connut notamment un développement important. Mais la première guerre mondiale interrompit brutalement l'essor de la région. L'occupation de la Rhénanie, l'inflation et la politique économique de l'époque firent subir une grande régression au Palatinat. Les conditions de vie extérieures s'améliorèrent pour un certain temps au début du Troisième Reich. En 1945, les troupes françaises occupèrent la totalité du Palatinat.

En 1947, le Palatinat devint une partie du « Land » Rhénanie-Palatinat qui se souda au cours des années. Les habitants du Palatinat se sont identifiés à leur nouveau « Land ». La région autrefois très pauvre, occupe aujourd'hui une place de choix en Allemagne.

Les habitants du Palatinat sont un peuple aimant la vie. Les fêtes sont nombreuses chez eux et ils ne célèbrent pas seulement des fêtes du vin. Des chars aux scènes façonnées avec des fleurs défilent dans les rues durant le Corso fleuri de Landau.

Le « Purzelmarkt », avec des tournois et jeux remontant au moyen-âge, se déroule chaque année à Billigheim-Ingenheim. A l'occasion du grand événement de la Fête allemande du Vin, la Route du vin est fermée pour un jour à la circulation routière; on ne peut s'y promener qu'à pied ou à bicyclette. De vieilles coutumes païennes sont à l'origine de la « Winterverbrennung » et du « Stabauslaufen », deux fêtes symbolisant la fin de l'hiver et l'arrivée du printemps. Finalement, presque toutes les communes invitent, souvent plus d'une fois par an, à la « Kerwe », une foire joyeuse et colorée.

« Oui, tu es beau, petit coin de terre, sur le fleuve allemand, le Rhin vert…et si un jour je trouve la paix éternelle dans ton giron, ô pays palatin, mon dernier soupir sera pour dire: Que tu es beau, Palatinat. »

Pfälzer Weinkönigin- und Prinzessinnen

SPEYER, Festzug zum Brezelfest

Alljährlich am zweiten Wochenende im Juli wird dem Speyerer Nationalgebäck ein ganzes Fest gewidmet. Wie die Brezel den Mönchen bereits vor einigen Jahrhunderten die Fastenzeit bereicherte, so bereichert heute das Brezelfest ganze Vereine und Feierhungrige. Diese Kreation aus Salzgebäck bekam ihren Namen wegen ihrer Form der ineinander verschlungenen Arme „bracellum". Die frommen Mönche konnten damals nicht ahnen, das ihr Gebäck einen Siegeszug weit über die Grenzen Deutschland hinaus antreten würde.

SPEYER, Pretzel festival parade

Every year, on the second weekend of July, a whole festival is devoted to Speyer's own culinary speciality. Centuries ago, monks baked pretzels to consume during the fasting period of Lent; nowadays, endless clubs and festival enthusiasts join forces to celebrate this creation of salty bread dough. The name Pretzel derives from the Latin „bracellum", as the shape resembles folded arms. The devout monks could not possibly have imagined that these modest products of their bakery would attain resounding success far beyond the borders of Germany.

SPIRE, cortège de la Fête du bretzel

Chaque année, le deuxième week-end de juillet, une grande fête populaire célèbre le bretzel, la pâtisserie « nationale » de Spire. Après avoir jadis adouci le temps de carême des moines, le bretzel fait aujourd'hui la délectation des nombreuses associations et du grand public participant à la fête. Le biscuit doit son nom à sa forme ressemblant à des bras entrelacés « bracellum », ainsi que l'appelaient les moines pieux, qui en leur temps, ne devaient guère se douter que leur bretzel deviendrait populaire bien au-delà des frontières de l'Allemagne.

Unsere Rundreise durch die Pfalz beginnen wir in der Dom- und Kaiserstadt Speyer. Mit ihrer über 2000-jährigen Geschichte gehört die Stadt zu den ältesten Siedlungen Deutschlands. Speyer liegt am Rhein. Mit seinem milden Klima und dem fruchtbaren Boden bietet dieses Gebiet optimale Bedingungen für den Anbau von Obst, Gemüse und Tabak. Die bedeutendste Sehenswürdigkeit Speyers ist der im Jahre 1061 geweihte Dom. Im benachbarten Historischen Museum der Pfalz ist unter anderem der Domschatz zu sehen.

Our round trip through the Palatinate starts in Speyer, imperial city with a cathedral. The city, situated on the Rhine, can look back on 2000 years of history, which makes it one of the oldest places of Germany. Thanks to its mild climate and fertile soil the area is optimal for growing fruits, vegetables and tobacco. The most important sight of Speyer is the cathedral which was christened in 1061. The neighbouring Historical Museum of the Palatinate also houses the treasury of the cathedral.

Notre périple à travers le Palatinat commence dans la ville impériale et évêché de Spire (Speyer). Fondée il y a plus de 2.000 ans, la ville sur le Rhin est une des plus anciennes agglomérations d'Allemagne. Grâce à son climat doux et son sol fertile, cette région réunit des conditions idéales pour la culture des fruits, des légumes et du tabac. La cathédrale (Dom), inaugurée en 1061, est le monument principal de Spire. Juste à côte, le Musée historique du Palatinat renferme, entre autres, le trésor de la cathédrale.

Zwischen dem Dom und dem Altpörtel, einem mittelalterlichen Torturm, erstreckt sich heute die Maximilianstraße mit ihren Bürgerhäusern, Geschäften und Cafés. Auf dieser Straße zogen einst Kaiser und Könige zum Dom. Speyer, die Dom- und Kaiserstadt, blickt auf eine stolze und reiche Vergangenheit zurück, die unter den salischen Kaisern (1024-1125) zu einem herrschaftlichen Zentrum des Reiches wurde. Um 1030 legte Kaiser Konrad II. den Grundstein zum Bau des Domes.

Maximilianstrasse, flanked by burghers' houses, shops and cafés, runs from the cathedral to the "Altpörtel", a medieval gate tower. Emperors and kings took this street to the cathedral. The old imperial city of Speyer, dominated by its fine cathedral, looks back with pride on years of fascinating history. Under the Salian dynasty (1024-1125) the city became a centre of imperial power. Konrad II laid the foundation stone of the cathedral around 1030.

Bordée de maisons patriciennes, de magasins et de cafés, la Maximilianstrasse s'étend entre la cathédrale et l'Altpörtel, une tour- porte médiévale. Autrefois, les empereurs et rois empruntaient cette rue pour se rendre à la cathédrale. L'édifice roman, bâti en grés, a un intérieur plutôt sobre. Devant le portail principal aux reliefs en bronze, se dresse le « Domnapf », une fontaine en grès datant de 1490. Autrefois, on la remplissait de vin, pour la population, à l´occasion de fêtes.

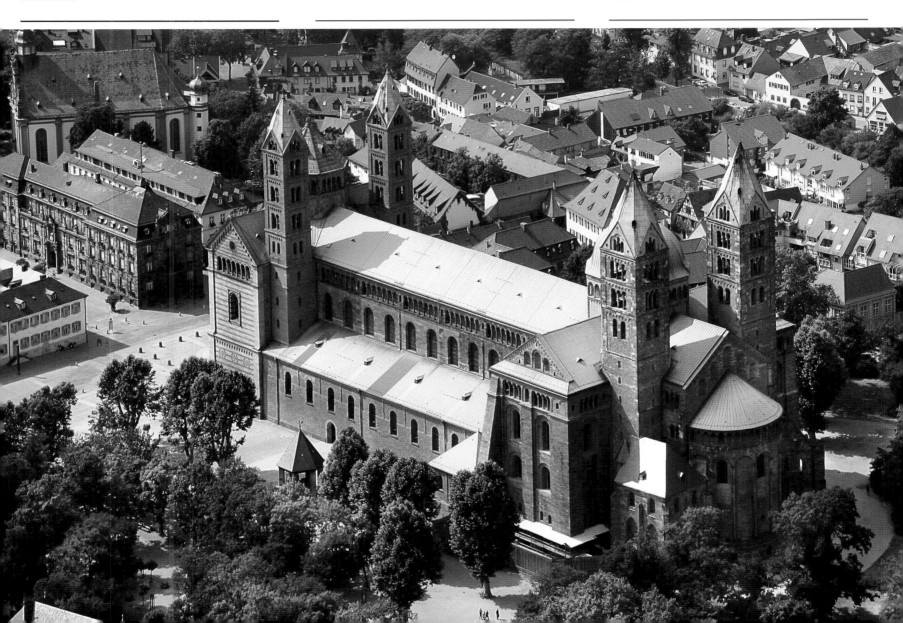

1076 tritt Heinrich IV. von seiner Lieblingsstadt Speyer aus den Gang nach Canossa an. Der Stadtkern hat die vielen tragischen Ereignisse der letzten 300 Jahre ohne größere bauliche Schäden überlebt und bietet sehenswerte Zeugnisse der verschiedensten Bauepochen. Speyer ist es gelungen, die unverwechselbare Identität der Dom- und Kaiserstadt und das kulturelle Erbe zu bewahren und sich gleichzeitig als selbstbewusste und wirtschaftlich aufstrebende Stadt der Neuzeit zu entwickeln.

In 1076, Heinrich IV departed from his beloved Speyer to surrender much of his authority to the Pope. Despite the tragic events of the last 300 years, the city centre suffered little serious architectural damage and is of interest thanks to the many surviving buildings from various epochs. Speyer has succeeded in retaining its unmistakable identity as a cathedral city with an imperial heritage, and while guarding its cultural legacy, has at the same time developed into a self-confident and commercially ambitious modern community.

Le futur empereur germanique Henri IV partit pour aller s'incliner devant le pape à Canossa. Les vieux quartiers de la ville ont traversé les événements tragiques des III derniers siècles sans trop de dommages et ont conservé de remarquables édifices de diverses époques architecturales. Spire a su garder son identité de cité historique impériale, riche d'un important héritage culturel, mais s'est aussi développée pour devenir une ville moderne, en plein essor économique.

SPEYER   △ Bootshafen am Rhein   ▽ Historisches Museum   △ SEALIFE Speyer   ▽ Dreifaltigkeitskirche

Zu den Hauptattraktionen des Speyerer Technikmuseums gehören mit einer russischen Antonov das größte serienmäßig gebaute Propellerflugzeug der Welt, ein begehbares U-Boot der Deutschen Marine und eine Boeing 747, von deren Tragflächen die Besucher das Museumsgelände und die nahe Stadt gut überblicken können. Seit 2008 ist hier auch der Prototyp der sowjetischen Weltraumfähre als Kernstück einer der größten europäischen Raumfahrtausstellungen zu sehen; die Buran wurde in einer Aufsehen erregenden Transportaktion über den Rhein ins Speyerer Museum gebracht.

The main attractions of the Technik Museum Speyer include the largest series-produced propeller aircraft in the world, a Russian Antonov, a German navy submarine that you can explore and a Boeing 747, whose wing affords visitors excellent views over the museum site and nearby town. Since 2008, the prototype Soviet space shuttle has been at the heart of one of the largest European space travel exhibitions; transport of the Buran along the Rhine to the Speyer Museum was sensational.

Le musée de la Technique de Spire possède un Antonov russe, un des plus grands avions de série à hélices au monde, un sous-marin de la marine allemande dont on peut visiter l'intérieur et un Boeing 747 sur les ailes duquel le visiteur peut embrasser la totalité du musée et la ville proche. Depuis 2008, on peut y découvrir un prototype de navette spatiale russe, pièce centrale de l'exposition dans l'aile du musée dédiée à l'aérospatiale ; la navette spatiale Bourane traversant le Rhin pour être transportée dans ce musée de Spire fit sensation en son temps.

Ludwigshafen ist eine noch junge Stadt - erst 1859 erhielt sie ihre Stadtrechte. Den Namen gab ihr König Ludwig I. von Bayern, als die Pfalz unter bayerischer Herrschaft stand. Ihre Entstehung verdankt die Stadt Ludwigshafen einem linksrheinischen Brückenkopf, der zur Mannheimer Festung Friedrichsburg gehörte. Hier entstand ein wichtiger Handelsplatz. Ludwigshafen ist heute eine moderne Großstadt und hat sich als fortschrittliche Stadt der Chemie einen Namen gemacht.

Ludwigshafen is a young city, having been chartered only in the middle of the last century. It was named after King Ludwig I of Bavaria when the Palatinate was under Bavarian rule. Ludwigshafen, formerly a bridgehead on the left bank of the Rhine and as such part of the Friedrichsburg, Fortress of Mannheim, became an important commercial centre. Today, Ludwigshafen is a modern city known above all for its chemical industry.

Ludwigshafen est une ville très jeune, qui n'a reçu ses droits de ville qu'en 1859. Le roi Louis I. de Bavière lui a donné son nom lorsque le Palatinat était sous domination bavaroise. Ludwigshafen doit sa fondation à une tête de pont sur la rive gauche du Rhin qui était une partie de la forteresse Friedrichsburg de Mannheim. Un centre commerce important fut crée à cet endroit. Ludwigshafen est aujourd'hui une ville moderne et un centre important d'industrie chimique.

Frankenthal wurde 772 erstmals erwähnt. 1119 wurde es bekannt durch die Gründung eines Augustiner-Chorherrenstifts. Tuch-Macherei, Gobelinweberei, Gold- und Silber-Schmiedekunst sorgten für den Aufschwung der Stadt. Im 17. Jahrhundert wurde Frankenthal zu einer pfälzischen Festung ausgebaut, 1689 aber dennoch zerstört. Die Stadt wurde wieder aufgebaut und Mitte bis Ende des 18. Jahrhunderts blühte die Frankenthaler Porzellanmanufaktur. Heute ist Frankenthal ein aufstrebender Industriestandort.

The first mention of Frankenthal dates from 772. The town became more widely known in 1119, thanks to the foundation of the Augustinian Canons, and later flourished thanks to its textile industry, its tapestry weavers and its gold and silversmiths. In the 17th century it became a fortified Palatinate town, but was destroyed in 1689, to be rebuilt soon afterwards. From the middle to the end of the 18th century china production boomed in Frankenthal. Today, Frankenthal is a striving industrial centre.

Frankenthal est mentionnée pour la première fois en 772. Elle se développa avec la fondation d'une abbaye des Augustins en 1119. Des manufactures de drap et de tapisserie, la fabrication d'orfèvrerie d'or et d'argent, lui apportèrent la prospérité. Frankenthal fut transformée au XVIIe siècle en ville fortifiée palatine, mais détruite en 1689. Reconstruite de nouveau, elle fut réputée pour sa manufacture de porcelaine qui exista du milieu à la fin du XVIIIe siècle. Aujourd'hui, Frankenthal est une ville industrielle en plein essor.

Worms ist eine geschichtsträchtige Stadt, die sich mit der Nibelungen-Sage verbindet. Das Gebiet der heutigen Stadt war von Kelten und später von den Römern besiedelt. 1521 soll Martin Luther vor dem Reichstag die Sätze: „Hier stehe ich, ich kann nicht anders. Gott helfe mir. Amen." gesprochen haben. Der spätromanische Dom St. Peter ist die größte Sehenswürdigkeit Worms. Er wurde im 12. Jahrhundert erbaut. Beeindruckend ist der im 18. Jahrhundert von Balthasar Neumann entworfene Hochaltar sowie die Skulpturen an Ostchor und Südportal.

Worms, formerly home to the Nibelungen, is a city laden with history. The area of the town centre was settled first by the Celts, later by the Romans. It was here that Martin Luther is said to have pronounced his famous words before the Imperial Diet in 1521: "Here I stand, I cannot do otherwise. So help me God, amen". The most important sight of Worms is the late Romanesque St Peter's Cathedral. Built in the 12th century, the high altar by Balthasar Neumann and the sculptures both of the east choir and the south portal are especially impressive.

Worms a un grand passé historique. Elle est le berceau des « Nibelungen ». Le territoire de la ville actuelle a d'abord été colonisé par les Celtes, puis par les Romains. En 1521, Martin Luther prononça devant la Diète ces phrases devenues célèbres: « Je suis ici, je ne peux pas faire autrement. A la grâce de Dieu. Amen. » La cathédrale Saint-Pierre, bâtie au XIIe siècle en style roman tardif, est le monument le plus important de Worms. Particulièrement impressionnants sont le maître-autel de Balthasar Neumann et les sculptures du chœur.

Am letzten Augustwochenende findet während des Backfischfestes das traditionelle „Wormser Fischerstechen" im Floßhafen statt. Während des Backfischfestes wird natürlich mit Vorliebe gebackener Fisch gegessen - getreu dem Wormser Lied: „Ein Backfisch gebraten, ein Backfisch geküsst...". Es werden Wettkämpfe veranstaltet, bei denen ein Teilnehmer den anderen mit einer langen Stange von einem Kahn aus ins Wasser stoßen muss.

The traditional competition between fishermen takes place in the rafting harbour during the Backfisch festival. Fried fish is, of course, popular at this festival of the same name which, in German also a young girl, is also stated in an old song: „Fry a fish, kiss a young girl...". The participants take part in a competition that aims at trying to throw their opponent from his boat into the water using a long pole.

En août, les joutes de Worms appelées « Fischerstechen », ont lieu sur les rives du Rhin durant la « Backfischfest » (fête des jouvencelles). Le poisson cuit au four y est à l´honneur, comme dans une chanson de Worms: « enfourner un poisson, embrasser un tendron...» (en allemand, backfisch = poisson ou demoiselle). Les joutes sur l´eau se déroulent sur un bras du Rhin: Les concurrents essaient de se faire tomber dans le fleuve à l´aide de perches.

In einer abwechslungsreichen idyllischen Landschaft, angelehnt an ihren Hausberg, liegt die Kreisstadt Kirchheimbolanden. Ob der höchste Berg in der Pfalz, der 687 Meter hohe Donnersberg, bestiegen wird, man auf romantischen Pfaden durch das Wildensteiner Tal wandert oder im weinseligen Zellertal fröhlich eingekehrt; der Wanderer genießt die „kleine Residenz", in der Teile der Stadtbefestigung noch gut erhalten sind.

The district town of Kirchheimbolanden is situated in a varied and idyllic landscape in the shadow of the Donnersberg, an adjacent hill. Walkers can choose whether to climb the 687-metre-high Donnersberg hill, which is the highest point in the Palatinate, wander along the romantic pathways of the Wildenstein valley or explore the serene wine-growing district of Zellertal at leisure. Whatever your preference, you will normally find the weather in this area dry and agreeable.

Kirchheimbolanden, chef-lieu de canton, s'étend au coeur d'une nature diversifiée, près du Donnersberg, qui avec une hauteur de 687 mètres, est la plus haute montagne du Palatinat. Les randonneurs jouiront le plus souvent d'un climat sec et doux quand ils iront gravir le Donnersberg, explorer la vallée romantique de Wildensteiner ou encore goûter les vins de Zellertal.

Kirchheimbolanden kann aber auch mit einer baulich und historisch interessanten Innenstadt aufwarten. Die malerische Stadtmauer mit dem bekrönendem Wehrgang mit Türmen und Toren aus dem Mittelalter teilt die Altstadt mit den barocken Bauten aus der Zeit der beiden Nassau-Weilburger Regenten, die Kirchheimbolanden zum Regierungssitz erhoben. Mit Stolz präsentiert man die Mozartorgel in der sehenswerten Paulskirche.

Kirchheimbolanden is also a town whose centre offers much of architectural and historical interest. There is the picturesque town wall, for instance, dating from the Middle Ages, crowned with battlements, towers and gateways. Another major attraction is the Old Town with its Baroque buildings. They originate from the era of the Nassau-Weilburg regency, under which Kirchheimbolanden first became a seat of local government. The church of St Paul is well worth a visit, and local residents are proud to point out its Mozart organ.

Kirchheimbolanden vaut également une visite pour ses architectures historiques. L'enceinte de la ville dotée d'un chemin de ronde, de portes et tours médiévales se partage la vieille-ville avec les édifices baroques construits à l'époque des princes de Nassau-Weilburg qui firent de la ville le siège de leur gouvernement. La belle église Saint-Paul abrite les « orgues de Mozart » que l'on présente aux visiteurs avec fierté.

◁ Weinhof und Blick zum Roten Turm   △ an der Stadtmauer   ▽ Römerplatz mit Unterem Tor (14. Jh.)

Das Weintor in Schweigen und das Haus der Deutschen Weinstraße in Bockenheim sind die Grenzpunkte der Deutschen Weinstraße. Dazwischen liegen 85 weinreiche Kilometer, 23.000 Hektar Weinberge mit 100 Millionen Rebstöcken, mehr als 150 Weinbau betreibende Gemeinden, nahezu 10.000 Weingüter und Winzerbetriebe und 28 Winzergenossenschaften. Unzählige einladende Weinlokalitäten zieren die schönste und älteste Weinstraße. Das ganze Jahr über werden hier über 300 fröhliche Kerwen, Märkte und Weinfeste gefeiert.

The Wine Gateway in Schweigen and the House of the German Wine Route in Bockenheim are the border points of the wine route. In between lie 85 kilometres of highway rich in wine lore with 23,000 hectares of vineyards containing a hundred million vines, more than 150 wine-growing parishes, nearly 10,000 vinegrowing estates and 28 vintners co-operatives. Countless inviting taverns enhance this most beautiful and oldest of wine routes. Around the year they celebrate over 300 lively fairs, markets and wine festivals along the highway.

La Porte du Vin de Schweigen et la Maison de la Route allemande du Vin à Bockenheim est le poste frontière de la Route allemande du Vin. Elle parcourt 85 km entre 23.000 hectares de vignobles comptant des centaines de millions de ceps, traverse plus de 150 communes vigneronnes qui rassemblent près de 10.000 exploitations viticoles, allant de la petite ferme au domaine, et 28 coopératives vinicoles. Une multitude de caves et auberges accueillantes bordent la route pittoresque. Plus de 300 kermesses, marchés et fêtes du vin s'y déroulent pendant l'année.

Das Haus der Deutschen Weinstraße wurde als Pendant zum Weintor in Schweigen 1995 eröffnet. Das Gebäude ist einem römischen Kastell nachgebildet und überspannt die Straßenbreite. Von der oberen Plattform des Hauses hat man einen herrlichen Blick über Bockenheim, das Rebenmeer der Oberrheinischen Tiefebene bis zum Odenwald. Mehrmals jährlich finden hier Feste und andere Veranstaltungen statt. Bockenheim hat auch bauhistorisch viel zu bieten. Die Kirchen der Gemeinde und deren Ausstattung laden zu einer Entdeckungsreise in vergangene Jahrhunderte ein.

The House of the German Wine Route opened in 1995 as a counterpart to the Weintor in Schweigen at the other end of the route. Modelled on a Roman fort, the building actually spans the Wine Route. The upper platform offers a superb view over Bockenheim, a sea of grapevines and the Upper Rhine valley as far as the Odenwald forest. There are many annual festivals and other events in this area. Bockenheim has many historic buildings. In particular, its churches and their contents provide visitors with a fascinating excursion into the past.

Inaugurée en 1995, la Maison de la Route allemande du Vin fait pendant à la Porte du Vin de Schweigen. De nombreuses fêtes et autres manifestations s'y déroulent chaque année. Bâti sur le modèle d'un castel romain, l'édifice traverse la Route du Vin. La plateforme supérieure offre un panorama splendide sur Bockenheim, la mer de vignobles et la plaine du Haut-Rhin jusqu'à Odenwald. Bockenheim abrite plusieurs architectures historiques intéressantes, dont ses églises qui invitent à un voyage de découverte des siècles passés.

Das Winzerfest mit einem großen Festumzug und dem Mundartdichterwettstreit im Oktober gehört neben den Mundarttagen im Frühjahr zu den wichtigsten Veranstaltungen Bockenheims. Im Dorf, das aus Klein- und Groß-Bockenheim entstand, die einmal zur Grafschaft Leiningen und der Kurpfalz gehörten, erinnern heute noch die Reste der Leininger Emichsburg sowie die Schlosskirche St. Martin an die alte Zeit. Den barocken Hochaltar der Kirche St. Lambert ziert die „Traubenmadonna", eine Muttergottesstatue mit Trauben segnendem Jesuskind (15. Jh.) Einige Winzerhöfe besitzen noch geschnitzte Rokokoportale.

The most important events in Bockenheim include the wine festival with a large procession and the dialect poetry competition in October, as well as the dialect days in spring. In the village, which was formed out of Klein and Groß-Bockenheim and once belonged to the county of Leiningen and the Electoral Palatinate, the ruins of Leininge´s Emichsburg Castle and St Martin church remind us of this past. The baroque high altar in St Lambert church is adorned by the Traubenmadonna from the 15th century, a Madonna statue with the Jesus child blessing grapes. Some vineyards still have carved rococo entrances.

La fête des vignerons avec son grand défilé et son concours de poésie en dialecte régional d'octobre compte parmi les manifestations culturelles les plus importantes de la ville de Bockenheim, haut lieu des Journées poétiques de printemps en patois. Les ruines du château-fort d'Emichsburg du comté de Leiningen et la chapelle St Martin évoquent les temps anciens du village de Bockenheim. Le retable de style baroque de l'église St Lambert est connu pour sa statue du 15e siècle de la « Vierge aux raisins » tenant Jésus enfant sur son bras et lui présentant une grappe de raisins à bénir.

◁ Umzug mit dem „Friedensadler"   △ Fahnenschwinger   ▽ Sausrummer Hexen

Viel Sonne und gute Böden lassen im zweitgrößten Weinanbaugebiet Deutschlands kostbare Reben wachsen. Im 18. Jahrhundert regierten von Grünstadt aus die Grafen von Leiningen das umliegende Land. Aus dieser Zeit stammen die Schlösser Oberhof und Unterhof sowie das Stadthaus. Zum Weinfestauftakt wird die Weingräfin zur Repräsentantin des Leiningerlandes gekrönt. Vorbild der Weinhoheit ist die legendäre Gräfin von Neuleiningen, die im 16. Jahrhundert mit Charme, Gastfreundlichkeit und List ihre Burg vor der Zerstörung bewahrte.

Precious vines are grown in this second largest wine-growing area of Germany, thanks to lots of sun and suitable soils. The counts of Leiningen were lords of Grünstadt in the 18th century. Upper Palace, Lower Palace and the Town Hall all date from this time. The opening of the wine festival is marked by the crowning of the "wine countess". This figure has a historical precedent, for she is modelled on the legendary 16th century countess Eva von Neuleiningen, who used her charm, her hospitality and her ingenuity to save her castle from destruction.

Beaucoup de soleil et des sols adéquats sont la recette pour les bons crus de la région viticole la deuxième plus important d´Allemagne. Au XVIIIe siècle, les comtes de Leiningen régnaient sur la province depuis Grünstadt. La fête du vin s´ouvre avec le couronnement de la Comtesse du Vin qui représentera le pays de Leininger durant un an. Elle évoque aussi la légendaire comtesse Eva von Neuleiningen, qui au XVIe siècle, parvint à sauver son château de la destruction grâce à son charme, son esprit astucieux et son hospitalité.

Die „Blitzröhren" von Battenberg sind ein Naturdenkmal. Eisen- und kalkhaltiges Wasser hat hier den weichen Sandstein ausgespült und durch Versinterung die Röhren gebildet. — Auf einer Anhöhe, von der Autobahn aus gut sichtbar, erhebt sich die ehemalige Burg der Grafen von Leiningen, die aus dem 13. Jahrhundert stammt. Das malerische Dorf mit seinen engen Gassen und restaurierten Fachwerkhäusern wird von einer gut erhaltenen Stadtbefestigung aus dem 15. Jahrhundert umgeben.

These "lightning rods" at Battenberg are under preservation order. Soft sandstone was washed away by water containing iron and chalk thus forming the pipes through sintering. — From the highway the former castle of the counts of Leiningen, built in the 13th century, can be clearly seen on a hill. The picturesque village with the narrow lanes and restored half-timbered houses is surrounded by well-preserved fortifications of the 15th century.

Les rochers des Battenberg sont un monument naturel protégé. L´eau, contenant du fer et du calcaire, a rongé la roche de grès tendre et formé ces cônes. — Très visible depuis l´autoroute, l´ancien château des comtes de Leiningen, datant du XIIIe siècle, s´élève sur une hauteur. Une enceinte fortifiée bien conservée, bâtie au XVe siècle, entoure village pittoresque doté de ruelles tortueuses et de maisons à colombages restaurées.

Der Weinanbau und die Gastronomie haben den Weinort Kallstadt weit über seine Grenzen hinaus bekannt gemacht. Hier, am Rande des Pfälzerwaldes, werden jedes Jahr vier Millionen Liter Wein aus den besten Lagen gekeltert, darunter der Kallstadter Steinacker und der Kallstadter Kobnert. Einzigartig ist eine kulinarische Zweisamkeit: Hier können Sie den Saumagen als deftige Spezialität und den gleichnamigen Wein aus einer Spitzenlage genießen. Weinwanderwege und der nahe Pfälzerwald laden zum Wandern ein.

The wine-growing area of Kallstadt is famed far beyond its borders, not only for its viticulture but also for its cuisine. Here, at the edge of the Palatinate Forest, four million litres of wine from top-class vineyards are produced and consumed annually, among them Kallstadter Steinacker and Kallstadter Kobnert. There is a unique conjunction of culinary specialities, too: Try the local delicacy of "Saumagen" (pig´s stomach) with a fine "Saumagen" wine. Ramblers will appreciate the miles of pathways traversing the Palatinate´s vineyards and woods.

La vigne et la gastronomie ont fait connaître la localité viticole de Kallstadt bien au delà de ses frontières. Ici, à la lisière du Pfälzerwald (Forêt du Palatinat), quelque quatre millions de litres de vin sont produits chaque année, dont de remarquables crus tels que le Kallstadter Steinacker et le Kallstadter Kobnert. On peut également déguster un duo culinaire singulier à Kallstadt: le « Saumagen », panse farcie, spécialité de la région, accompagnée d'un « Saumagen », un des meilleurs vins de ce terroir. Les chemins à travers le vignoble et le Pfälzerwald offrent de belles randonnées.

Schon die Römer haben in der Umgebung von Bad Dürkheim Wein angebaut, wie mehrere Funde aus dieser Zeit belegen. In der Nähe von Ungestein entdeckte man bei einer Flurbereinigung Überreste zweier römischer Langhäuser. Erstmals in der Pfalz stieß man dabei auch auf eine römische Tretkelter, in der die Trauben mit den nackten Füßen zerstampft wurden. Den gewonnenen Most fing man in einem darunter liegenden Becken auf und lagerte ihn zur Gärung in Holzfässern. Wie das damals wohl aussah, kann man heute noch bei Burg- und Weingutfesten miterleben.

Many archaeological finds have shown that the Romans cultivated vines in the Bad Dürkheim area. The remains of two Roman naves near Ungestein were discovered during a land clearance project. The first Roman wine press to be discovered in the Palatinate was also found, in which the grapes were crushed with bare feet. The extracted must was caught in bowls underneath and stored in wooden barrels for fermentation. You can see what it looked like during festivals on castles and vineyards.

Dans les alentours d'Bad Dürkheim, des fouilles ont confirmé qu'on cultivait déjà la vigne à l'époque des romains. Lors du remembrement des terres, on a mis à jour les ruines dans Ungestein de deux entrepôts datant de l'époque romaine. Ce fut l'occasion, pour la première fois dans le Palatinat, de découvrir des pressoirs romains dans lesquels on foulait le raisin avec les pieds. Le jus ainsi obtenu était récolté dans des bassins pour être ensuite stocké dans des fûts de fermentation en bois. On peut revivre en direct cette coutume lors de la fête dans le châteaus et le domaine viticole.

Bad Dürkheim, ehemalige fürstliche Residenzstadt der Grafen zu Leiningen, gibt es schon über 1230 Jahre und damit verbunden werden hier noch Traditionen gepflegt. Fast 600 Jahre ist er schon alt, der Dürkheimer Wurstmarkt, der auf die Verköstigung von Wallfahrern am nahen Michaelsberg zurückgeht. Mit Schubkarren schafften Winzer damals Wein und Speisen hinauf. Die „Schubkärchler" gibt es bis heute. Alljährlich am zweiten und dritten Wochenende im September lädt die Stadt zum weltgrößten Weinfest mitten in der Pfalz.

Once the seat of the Dukes of Leiningen, Bad Dürkheim has existed for over 1230 years and still upholds its ancient traditions. The local Wurstmarkt (sausage market) is almost 600 years old, which dates back to catering for pilgrims to the nearby Michaelsberg. Winemakers used to take the wine and food up there with wheelbarrows. These barrows are still there today. Every year, in the centre of the Palatinate, on the second and third weekends of September, the Brühl meadows host the world´s largest wine festival.

Bad Dürkheim, ancienne ville de résidence des comtes de Leiningen, existe depuis plus de 1230 ans, et est restée attachée à ses traditions ancestrales. Le Marché de la Saucisse, le Wurstmarkt, remonte à l'époque où les pèlerins reprenaient des forces avant d'attaquer l'ascension de la montagne Michaelsberg. Les vignerons montaient alors vins et mets à l'aide d'une brouette pour les proposer à ces mêmes pèlerins. On retrouve cette coutume ancestrale dans les « Schubkärchler », buvettes traditionnelles sous tente, où il fait bon s'y serrer les uns contre les autres.

Dürkheimer Riesenfass

Mit einem Fassungsvermögen von 1,7 Millionen Litern und einem Durchmesser von 13,5 Metern wurde im Jahre 1934 von dem Küfermeister Fritz Keller das größte Holzfass der Welt gebaut. Es zeigt die Verbundenheit der Stadt mit dem Weinbau, doch mit Rebensaft war es nie gefüllt. Von Anfang an diente es als Speiserestaurant, in dem auf zwei Etagen natürlich auch Wein ausgeschenkt wurde. Da der Platz nicht ausreichte, baute man 1958 die „Weinbütt", das heutige Restaurant, an. Auf dem Platz vor dem Riesenfass findet alljährlich das weltgrößte Weinfest, der Dürkheimer Wurstmarkt, statt.

Dürkheim gigantic barrel

With a capacity of 1.7 million litres and diameter of 13.5 metres, the largest wooden barrel in the world was built by cellar master Fritz Keller in 1934. It shows the town's connection with wine production, but it has never been filled with grape juice. It served as a restaurant from the start that, of course, also sold wine on its two floors. Weinbütt, the current restaurant, was added in 1958 when space became too tight. The largest wine festival in the world takes place once a year on the square in front of the gigantic barrel, the Dürkheim Wurstmarkt.

Le Tonneau géant de Dürkheim

Le plus grand tonneau en bois au monde fut construit par le tonnelier Fritz Keller en 1934, il peut contenir 1,7 million de litres pour un diamètre de 13,5 mètres. Ce tonneau montre l'attachement de la ville à la viticulture. Il ne fut jamais rempli de vin. Dès sa construction, ce tonneau a été utilisé en restaurant réparti sur deux étages, où l'on sert bien entendu aussi du vin. Comme l'espace était réduit, on a rajouté en 1958 une annexe au restaurant actuel « le Weinbütt ». L'espace devant le tonneau géant sert tous les ans à célébrer la grande fête du vin connue sous le nom de « Marché de la Saucisse » de Dürkheim.

Oberhalb von Bad Dürkheim erhebt sich mit der Klosterruine Limburg eines der bedeutendsten Baudenkmäler salischer Baukunst. Die im 9. Jh. von den Wormser Herzögen zum Schutz vor feindlichen Übergriffen erbaute Burg ließ der erste Salierkaiser Konrad II. im 11. Jh. zum Benediktinerkloster umbauen. Auch die Reichsinsignien wurden hier aufbewahrt. Nach der Reformation 1574 wurde das nach einem Brand Anfang des 16. Jh. wieder aufgebaute Kloster aufgelöst. Heute finden in der Klosterruine in den Sommermonaten Serenadenkonzerte und Theateraufführungen statt.

The Limburg monastery ruins, one of the most significant monuments to Salian architecture, soar above Bad Dürkheim. The fortification, built in the 9th century by the Dukes of Worms to protect against enemy assaults, was converted into a Benedictine monastery by the first Salian king Conrad II in the 11th century. The imperial regalia were also kept here. After the Reformation in 1574, the monastery, which had been rebuilt after a fire, at the start of the 16th century, was dissolved. Today, concerts and theatre productions take place in the ruins during the summer months.

Les ruines du couvent de Limburg surplombent la ville de Bad Dürkheim et comptent parmi les édifices les plus importants de style salien. Ce château-fort, édifié par les ducs de la ville de Worms au IXe pour protéger leur contrée des attaques ennemies, fut transformé en monastère bénédictin par le premier empereur salien, Conrad II, au XIe. Les insignes du pouvoir impérial étaient conservés ici. Après la Réforme de 1574, le couvent reconstruit un incendie au début du XVIe, fut définitivement dissous. De nos jours, les ruines de ce couvent servent de cadre somptueux à des concerts ou des pièces de théâtre

Forst wird durch malerische barocke und klassizistische Bauten geziert, die von Feigenbüschen umgeben sind. Etwa zwei Kilometer westlich von Forst befinden sich auf dem Pechsteinkopf oberhalb des Margaretentales riesige Basaltsteinbrüche. Sie erlauben einen Blick ins Erdinnere und gehen auf vulkanische Tätigkeit zurück. — Die Weinlage Forster Kirchenstück wird von den renommiertesten Weingütern bewirtschaftet, wie das Weingut „Geheimer Rat Dr. von Bassermann-Jordan", dessen Winzer im Laufe der Jahrhunderte Weingeschichte geschrieben haben.

Many picturesque Baroque and neo-classical buildings adorn the town of Forst, made even more photogenic by the fig bushes that surround them. About two kilometres to the west, on the Pechsteinkopf above the valley of Margaretental, huge basalt quarries can be found. They allow the visitor a glimpse into the depths of the earth and into ancient volcanic strata. — The Forster Kirchenstück vineyard is managed by several famous estates, including "Geheimer Rat Dr von Bassermann-Jordan", whose vintners have made wine history over the last centuries.

Des édifices baroques et néoclassiques entourés de figuiers marquent la physionomie de la pittoresque localité de Forst. À environ deux km à l'ouest de la ville, les immenses carrières de basalte du Pechsteinkopf, évoquent les anciennes activités volcaniques dans la région et permettent de regarder dans les entrailles de la terre. — Les coteaux Forster Kirchenstück sont exploités par des domaines viticoles renommés, entre autres le domaine historique du Conseiller d'État von Bassermann-Jordan, dont les maîtres ont écrit des pages d'histoire du vin au cours des siècles.

In Deidesheim betreibt man Weinanbau schon seit 770. Die Ortsgestaltung des Luftkurortes unter Erhaltung der alten Bausubstanz gilt als Modell für Rheinland-Pfalz. Sehenswert in diesem bekannten Weinort sind unter anderem das barocke Rathaus mit dem Ratsherrensaal, die katholische Pfarrkirche St. Ulrich (1440-1480) sowie der malerische Marktplatz. Alle zwei Jahre wird auch ein Autor aus dem deutschsprachigen Raum nach Deidesheim eingeladen, die Pfalz kennenzulernen. Seinen Aufenthalt als „Turmschreiber" im alten Schlossturm soll er literarisch nutzen; die Werke sind in einer Buchreihe erschienen.

The first vineyards were recorded here in 770. The successful effort to transform Deidesheim into a climatic health resort while retaining as much substance of the old buildings as possible is regarded as a model project for the state of Rhineland-Palatinate. Interesting sights of this famous wine-growing town include the Baroque Town Hall and Council Chamber, St Ulrich´s church (1440-1480) and the pretty market square. An author from the German-speaking region is also invited to Deidesheim every two years, to get to know the Palatinate and to write as a „tower writer" in the old castle tower for a book series.

La vigne est cultivée depuis 770 à Deidesheim. L'aménagement de la station climatique, qui a conservé ses bâtiments anciens, est un modèle pour la région du Palatinat rhénan. L'hôtel de ville baroque doté d'une admirable salle du Conseil, l'église paroissiale St-Ulrich (1440-1480) et la pittoresque place du marché comptent parmi les plus belles architectures de la localité. Tous les deux ans, la ville de Deidesheim invite un auteur de langue allemande à mieux connaître le Palatinat en lui permettant de résider dans l'ancienne tour du château-fort, faisant ainsi de lui un « Turmschreiber » .

DEIDESHEIM, Geißbockversteigerung

Immer am Dienstag nach Pfingsten bricht das zuletzt getraute Paar bei Sonnenaufgang von Lambrecht ins zwölf Kilometer entfernte Deidesheim auf. Dabei haben sie einen ansehnlichen Geißbock im Schlepptau. Der Brauch geht auf eine Vereinbarung zurück, wonach die Tuchmacher aus Lambrecht ab Anfang des 15. Jahrhundert ihre Ziegen auf Deidesheimer Gemarkung weiden durften, wenn sie einmal im Jahr mit einem „gut gebeutelten und gehörnten" Geißbock dafür bezahlten. Das Tier wird beim Pfingstmarkt auf der Rathaustreppe vor großer Besucherschar an den Meistbietenden versteigert.

DEIDESHEIM, goat auction

Every year on the Tuesday after Whitsun, the most recently married couple set off at sunrise from Lambrecht to Deidesheim 12 km away. They have a handsome billy goat in tow. The custom goes back to an agreement, whereby the clothiers from Lambrecht were allowed to graze their goats on Deidesheim land if, once a year, they presented a „well-horned and well-endowed" billy goat for the privilege. The animal is auctioned off on the Town Hall steps during the Whitsun Market in front of a large crowd eager to see the highest bidders.

DEIDESHEIM, vente aux enchères

Chaque mardi après la Pentecôte, le dernier couple marié se met en route au lever du soleil pour se rendre de Lambrecht au village de Deidesheim à 12 km de là. Les mariés sont priés d'emmener un bouc avec eux. Cette coutume selon laquelle les tisserands étaient autorisés à faire paître leurs chèvres dans la contrée de Deidesheim, à condition de payer ce droit avec un bouc vigoureux, remonte au début du XVe siècle. Ce bouc est ensuite vendu aux enchères au plus offrant lors du marché de Pentecôte, au pied de l'escalier de la mairie, devant une foule importante de visiteurs.

Pfälzer Wein hat in den vergangenen Jahren immer mehr Liebhaber gefunden. Während die meisten deutschen Anbaugebiete in den letzten Jahren Marktanteile verloren haben, hat die Pfalz dazugewonnen. Die Pfalz bietet keine Dutzendware, sondern zirka zwölf der wichtigsten Rebsorten. Lieblich wie die Landschaft und das Klima mit dem südländischen Flair sind auch die Weinköniginnen, -prinzessinnen und -gräfinnen, die zu den Weinfesten gekürt werden. Sie werben bei öffentlichen Veranstaltungen für den Pfälzer Wein. Unten rechts ist die Kerwefrau.

Though German wines have lost some of their market share in recent years, wines from the Palatinate have enjoyed an increasing following. This is not a region of mass production of wine, all in all only about twelve varieties of the finest grapes are cultivated here. Just as attractive as the landscape and the temperate climate, with its Mediterranean flair, are the wine queens, princesses and countesses who are chosen as the representatives of the wine festivals. It is their task to provide publicity for Palatinate wines at public events.

Au cours des dernières années, les vins du Palatinat ont trouvé de plus en plus d'amateurs, alors que biens des vins d'autres régions viticoles allemandes ont perdu des parts du marché. Le Palatinat n'offre pas des produits à la douzaine, mais environ une douzaine des cépages les plus connus. Couronnées lors des fêtes viticoles, les reines, princesses et comtesses du vin font honneur aux paysages riants et au climat doux de leur région. Elles sont les gracieuses ambassadrices des vins du Palatinat dans toutes sortes de manifestations publiques.

Neustadt bildet den Mittelpunkt der Deutschen Weinstraße. Hier findet alljährlich im September das Deutsche Weinlesefest mit der Krönung der Deutschen Weinkönigin statt. In der Stiftskirche, einer der eindrucksvollsten Kirchen der Pfalz, befinden sich Gräber der kurfürstlichen Familie. Die Stadt hatte ihre Blütezeit in der zweiten Hälfte des 16. Jahrhunderts. Aus dieser Zeit stammen noch zahlreiche Patrizierhäuser.

Neustadt is the centre of the German Weinstrasse. It is here that the annual German Wine Harvest Festival takes place in September when the German wine queen is crowned. The collegiate church, one of the most impressive churches of the Palatinate, houses the tombs of the electoral family. The town reached its prime in the second half of the 16th century, and many patrician houses date from this period.

Neustadt est le cœur de la Route allemande du Vin. Chaque année, en septembre, la reine du vin y est couronnée à la Fête des Vendanges allemandes. L'église paroissiale, une des plus impressionnantes du Palatinat, abrite des tombeaux de la famille des princes-électeurs. La ville a connu son apogée dans la deuxième moitié du XVIe siècle, ce dont témoignent de nombreuses maisons patriciennes datant de cette période.

NEUSTADT, historische Altstadt

1931 entstand die Idee, beim Deutschen Weinlesefest in Neustadt eine Weinkönigin aus einem der elf deutschen Weinanbaugebiete zu küren. Sie sollte über ein sicheres Auftreten, charmante Ausstrahlung und ein fundiertes Weinfachwissen verfügen. Eine Jury aus Weinfachleuten entscheidet über die Wahl, wonach die Weinkönigin als höchste Repräsentantin den deutschen Wein im In- und Ausland vertritt. Nach ihrer Wahl präsentiert sie sich erstmals beim großen Winzerfestumzug der Öffentlichkeit, der zum Abschluss des Deutschen Weinlesefestes durch Neustadts Straßen zieht.

NEUSTADT historic Old Town

In 1931, the idea arose to crown a Wine Queen from one of the eleven German wine growing regions at the German Weinlesefest (grape harvest festival) in Neustadt. She must be confident, charming and an expert on wine growing. A jury of wine experts decides the winner. The Wine Queen is the highest representative of German wine at home and abroad. After her election, she is presented to the public for the first time at the big wine festival procession, which passes through the streets of Neustadt as the climax of the German Weinlesefest.

NEUSTADT, la vieille ville

C'est en 1931 que naquit l'idée de couronner une reine du vin parmi 11 jeunes filles issues des 11 régions viticoles allemandes, à l'occasion des vendanges de Neustadt. La jeune élue doit être sure d'elle, posséder un physique agréable et disposer de solides connaissances viticoles. Un jury composé d'œnologues élit de la reine du vin, qui représente par la suite les régions viticoles allemandes aux niveaux national et international. L'élue est présentée la première fois en public lors du grand défilé qui clôture les vendanges de la ville de Neustadt.

Bereits im 19. Jh. war Neustadt der Mittelpunkt der Deutschen Weinstraße, eine beliebte Wohngegend des wohlhabenden Bürgertums. Repräsentative Villen in der Maximilian-, Villen- und Haardter Straße zeigen dies bis heute. Im 19. Jh. wurde auch der Saalbau für kulturelle Veranstaltungen gebaut. Zu den Sehenswürdigkeiten gehört die Innenstadt mit dem historischen Marktplatz, um den sich das Rathaus, die Stiftskirche mit der Grablege der Kurpfälzer Wittelsbacher, das Scheffelhaus und die Vizedomei, ein kurfürstliches Amtsgebäude, gruppieren. Auch zahlreiche Feste locken die Besucher nach Neustadt.

By the 19th century, Neustadt had become the centre of the German Wine Route and a popular place of residence for affluent citizens. Representative villas in Maximilian, Villen and Haardter Straße still reveal this today. The hall for cultural events was also built in the 19th century. Sights include the city centre with historical market square, which is ringed by the Town Hall, the Stiftskirche church, burial place of the House of Wittelsbach Electors, the Scheffelhaus and the Vizedomei, an official Electoral building. Numerous festivals also bring visitors to Neustadt.

Déjà au XIXe siècle, la ville de Neustadt, située au cœur de la route des vins en Allemagne, était un lieu de résidence fortement apprécié de la haute bourgeoisie. Les villas caractéristiques longeant les rues Maximilian, Villen et Haardter en sont encore les preuves bien visibles de nos jours. C'est aussi au XIXe siècle que l'on érigea la grande salle des manifestations culturelles. La place historique du marché bordée par la mairie, l'église, la maison de Scheffel et le Vizedomei, font partie des monuments qu'il faut absolument visiter. Les diverses fêtes attirent à cette occasion de nombreux visiteurs à Neustadt.

Auf dem heutigen Schlossberg entstand um 350 n. Chr. eine spätrömische Höhensiedlung, um 1100 wurde unter den salischen Kaisern die Burg ausgebaut. 1552 wurde die Burg bei einem Raubzug zerstört. Weitere Zerstörungen folgten im Pfälzischen Erbfolgekrieg 1688/89. Die Dauerausstellung „Hinauf, hinauf zum Schloss", bei der es auch jeden Monat einen Kindertag gibt, verzeichnet Besucherrekorde. Ab 1842 gehörte die Burg dem bayerischen Kronprinzen Maximilian und erhielt den Namen Maxburg. Mit der Sanierung der äußeren Ringmauer wurde der Wiederaufbau des Schlosses abgeschlossen.

A late Roman hill fort was built here in about 350 A.D. while the castle dates to around the year 1100, under the rule of the Salian dynasty. It was destroyed by pillaging invaders in 1552 and though rebuilt suffered further damage in the wars of succession in the following century. The permanent exhibition „Hinauf, hinauf zum Schloss" (up, up to the castle), which also has a children's day once a month, enjoys record numbers of visitors. In 1842 the castle was presented to Crown Prince Maximilian of Bavaria and christened the "Maxburg". Restoration was completed in 2000 when the outer walls were rebuilt.

Vers 350 après Jésus-Christ, les Romains bâtirent un castel sur le Schlossberg, puis un château y était construit en 1100 sous les empereurs saliques. L'édifice fut dévasté en 1552 par des pillards et en 1688/1689, durant la guerre de succession palatine. L'exposition permanente « Hinauf, hinauf zum Schloss », littéralement « Sus, sus au château », affiche des records de visiteurs et propose tous les mois une journée dédiée aux enfants. Il fut rebaptisé « Maxburg » après avoir été offert à Maximilien, prince héritier de Bavière. La restauration du château s'est terminée en 2000, avec la reconstruction de son enceinte extérieure.

Der Ort geht auf die drei ursprünglichen Bereiche Ober-, Mittel- und Unterhambach zurück, die zusammenwuchsen. Die Wehrkirche entstand bereits im Mittelalter. Das Alte Rathaus wurde 1739 unter Fürstbischof und Deutschordensritter Damian Hugo Philipp von Schönborn-Buchheim erbaut. Alljährlich Anfang Mai wird das Andergasser Fest gefeiert. Von der „Festmeile" in der Andergasse sieht man aufs Hambacher Schloss. In den Straußwirtschaften im Ort werden regionale Spezialitäten zum Wein gereicht.

This town is formed from the original areas of Ober, Mittel and Unterhambach, which have now merged into one another. The fortified church dates from the Middle Ages. The Old Town Hall was built in 1739 under Prince-Bishop and Knight of the Teutonic Order Damian Hugo Philipp von Schönborn-Buchheim. The Andergasser Fest is celebrated every year at the start of May. Hambach Castle is visible from the „Festmeile" (festival mile) in Andergasse. Regional specialities are served with wine in the local seasonal taverns.

Le bas, le haut et le moyen Hambach ont fini par ne plus former qu'un seul bourg. Son église fortifiée date du Moyen-âge. L'ancienne mairie a été édifiée en 1739 sous le règne de Damian Hugo Philipp de Schönborn-Buchheim, alors prince-évêque et chevalier teutonique. Tous les ans, début mai, on célèbre la fête d'Andergassen, l'occasion de faire de la rue qui mène au château de Hambach un lieu de festivités. Dans les winstubs du village, on sert des spécialités régionales et des vins locaux.

Mit den Rufen „Hinauf Patrioten zum Schloss, zum Schloss" zogen am 27. Mai 1832 über 30 000 freiheitlich gesinnte Bürger aus ganz Deutschland, Frankreich und Polen zum Hambacher Schloss, um für Freiheit, Einheit und Volkssouveränität zu demonstrieren. Seitdem gilt das Hambacher Schloss als Wiege der deutschen Demokratie. Dabei wurde auch die schwarz-rot-goldene Fahne der Burschenschaft, später unsere Nationalflagge, entrollt. Im Schloss erinnert heute eine Dauerausstellung an die Geschichte des Hambacher Festes und die demokratische Bewegung des 19. Jahrhunderts.

With the call „Hinauf Patrioten zum Schloss, zum Schloss" (patriots up to the castle, to the castle) over 30,000 liberal-minded people from all over Germany, France and Poland marched to Hambach Castle on 27th May 1832 to demonstrate for freedom, unity and national sovereignty. Since then, Hambach Castle has been the cradle of German democracy. The black, red and gold flag of the student league, later the national flag, was also unveiled there. A permanent exhibition in the Castle now reminds visitors of the history of the Hambach Festival and the democratic movement of the 19th century.

C'est par le cri « A tous les patriotes, sus au château ! » que 30 000 citoyens aspirant à plus de liberté et venus de toute l'Allemagne, mais aussi de France et de Pologne, montèrent le 27 mai 1832 au château de Hambach pour manifester en faveur de la liberté, de la fraternité et de la souveraineté du peuple. Depuis, le château de Hambach est considéré comme le berceau de la démocratie allemande. C'est au cours de cette manifestation que fut déroulé le drapeau noir- rouge-or de la Burschenschaft, une société d'étudiants, et qui devint plus tard le drapeau national allemand.

MAIKAMMER, Pfarrkirche

Maikammer liegt am Fuß des 673 Meter hohen Berges Kalmit. Von seinem Aussichtsturm hat man einen herrlichen Rundblick. Dort hinauf führt die kurvenreiche Totenkopfstraße, die besonders zur Zeit der Ginsterblüte ein Erlebnis ist. Maikammer selbst besitzt sehenswerte alte Wohn- und Winzerhäuser. Diese Häuser zeugen vom Wohlstand der Weinbauern. Die Stadt ist berühmt für ihre Weinlagen Alsterweiler, Kapellenberg, Kirchenstück, Immengarten und Heiligenberg. Hier wird vor allem Müller-Thurgau und Riesling angebaut.

MAIKAMMER, Parish church

Maikammer is situated at the foot of Kalmit Hill, approximately 673 metres high. The view from the observation tower on the top is magnificent. The winding "Totenkopfstrasse" leading up to it is a must see, particulary when the broom is in blossom. In Maikammer several old residential and winegrower houses, witnesses to the wealth of the wine growers, are worth a visit. Maikammer is famous for the vineyards of Alsterweiler, Kapellenberg, Kirchenstück, Immengarten and Heiligenberg where grapes such as Müller-Thurgau and Riesling are grown.

MAIKAMMER, Église paroissiale

Maikammer se niche au pied du mont de la Kalmit, haut de 673 mètres. Une vue magnifique s´offre depuis sa tour panoramique que l´on atteint par une route très sinueuse dite la « Totenkopfstrasse » particulièrement belle à l´époque de la floraison des genêts. Maikammer possède de très belles demeures patriciennes et maisons de vignerons qui témoignent de la prospérité de ceux-ci. Maikammer est réputée pour ses vignobles Alsterweiler, Kapellenberg, Kirchenstück, Immengarten et Heiligenberg. On y cultive notamment le Müller-Thurgau et le Riesling.

MAIKAMMER, Gartenmarkt

In Maikammer trifft sich nach alter Tradition die Weinbruderschaft der Pfalz. Diese Vereinigung kümmert sich um alle Belange des Pfälzer Weins. Sie hat maßgeblichen Einfluss darauf, dass nur gebiets-, jahrgangs- und sortentypische Weine gekeltert werden. Im Ort stammt die Rokoko-Pfarrkirche St. Cosmas und Damian aus dem 18. Jh., sie wurde dort errichtet, wo schon zur Römerzeit ein römisches Landhaus mit einem Hausheiligtum stand. Die Kirche besitzt eine sehenswerte Innenausstattung mit einem spätgotischen Altaraufsatz (um 1470). Den barocken Hochaltar schuf ein Kunstschreiner aus Maikammer.

MAIKAMMER, garden market

It is an old tradition that the Palatinate association of wine growers meet in the Maikammer. This association takes care of all the interest of Palatinate wine. It has a considerable influence on which local varieties and vintages of wine can be produced. In the town, the rococo Pfarrkirche St Cosmas und Damian church dates from the 18th century and was erected on the site of a Roman house that contained a religious shrine. The church has a beautiful interior with a late gothic retable (around 1470). A cabinetmaker from the Maikammer created the baroque high altar.

MAIKAMMER, marché du jardin

C'est à Maikammer que la confrérie du vin du Palatinat se donne rendez-vous, poursuivant ainsi une antique tradition. Cette association gère tout ce qui se rapporte aux vins du Palatinat. Elle veille à ce que ne soient vinifiés que des cépages typiques de la région et que les vins soient classifiés selon leur terroir et leur millésime. L'église paroissiale de style rococo de St Côme et St Damien datant du XVIIIᵉ siècle a été édifiée sur l'emplacement d'une ancienne villa romaine et de son autel domestique. L'intérieur de l'église est aménagé avec un retable de style gothique flamboyant (datant des alentours de 1470), qui vaut le détour, ainsi qu'avec un autel baroque sculpté par un menuisier local.

Wesentlich jünger als die katholische Pfarrkirche ist die 1914 geweihte protestantische Johanniskirche. Sie entstand, als die evangelische Gemeinde immer größer wurde. Sie wurde in nachklassizistischem Stil aus gelbem Sandstein erbaut, der aus Pfälzer Steinbrüchen stammt. Den Turm ziert eine Figur Johannes des Täufers. Hauptschmuck der Kirche sind die schönen Glasgemälde und Kirchenfenster mit biblischen Motiven sowie die prächtige Orgel. Sehenswerte Wohnhäuser stehen in der Markt- und Weinstraße. Alljährlich an Himmelfahrt wird im Ort das Mai- und Weinfest gefeiert.

The Protestant Johanniskirche church consecrated in 1914 is much younger than the Catholic Pfarrkirche. It was built because the Protestant community was constantly increasing in size. It was erected in the neo-classical style from yellow sandstone, which comes from the Palatinate stone quarries. The spire is adorned by a statue of John the Baptist. The main features of the church are the beautiful stained glass and church window with biblical motives and the splendid organ. There are some residential houses in Markt and Weinstrasse that are definitely worth seeing.

L'église protestante St Jean érigée en 1914 est beaucoup plus récente que l'église paroissiale catholique. Elle fut édifiée en raison du nombre croissant de ses paroissiens. De style postclassique, elle est faite en pierres de grès jaunes extraites des carrières du Palatinat. Le clocher est orné d'une représentation de St Jean-Baptiste. Les magnifiques vitraux peints sur des thèmes bibliques ainsi que l'orgue imposant invitent au recueillement. En flânant le long de la rue du marché et de la rue du vin, on peut y admirer de belles demeures. Les fêtes du 1er mai et du vin sont célébrées tous les ans lors de l'Ascension.

Die einstige Ritterfestung Kropsburg stammt aus dem 13. Jahrhundert. Sie wechselte häufig ihre Herren bis sie im Mittelalter in den Besitz der Familie von Dalberg überging. Die im 17. Jahrhundert zerstörte Kropsburg wurde wiederaufgebaut. Quader des ursprünglichen, oberen Teils wurden zum Bau der Festung Germersheim verwendet. Die heutige bewirtschaftete Kropsburg besteht aus einer Ober- und Unterburg. Die Wohnräume der Burg sind in Privatbesitz und normalerweise der Öffentlichkeit nicht zugänglich.

Kropsburg, formerly a knights castle, dates from the 13th century. It frequently changed hands until acquired by the Dalberg family in the Middle Ages. Destroyed in the 17th century, Kropsburg was rebuilt. Blocks of the upper part of the original castle were re-used when constructing Germersheim Castle. Kropsburg is under maintenance and managed in two sections, the Upper and Lower Castle. The estate is currently in private hands and normally not open to the public.

L´ancien château-fort de Kropsburg date du XIIIe siècle. Il changea souvent d´occupants avant d´appartenir à la famille von Dalberg au moyen âge. Détruit au XVIIe siècle, le Kropsburg fut rebâti plus tard. Des pierres de taille,provenant de la partie supérieure de l´édifice d´origine, furent utilisées dans la construction de la forteresse de Germersheim. Le Kropsburg actuel, transformé en hôtel, est composé d´un bâtiment inférieur et supérieur. Le château de Kropsburg est une propriété privée dont l´accès est normalement interdit au public.

Edenkoben blickt auf eine lange Geschichte zurück. Im Kloster Heilsbruck bei Edenkoben, einer über 700-jährigen ehemaligen Zisterzienserinnen-Abtei, befindet sich mit einem Fassungsvermögen von mehr als 500.000 Liter einer von Deutschlands größten, ausschließlich mit Holzfässern bestückten Weinkellern. Die Silhouette der Stadt wird durch die protestantische Barockkirche und die katholische Pfarrkirche bestimmt. Im Museum für Weinbau und Stadtgeschichte Edenkoben kann man viel über den Ort und seinen Werdegang erfahren.

The long history of Edenkoben is attested by old winegrowers' houses. Not far from Edenkoben stands Heilsbruck Abbey, a former Cistercian convent that is nearly 700 years old and contains one of Germany´s largest wine cellars. The barrels are all of wood, with a total capacity of over 500,000 litres. The Protestant Baroque church and the Catholic parish church give the town its skyline. The Museum of Viticulture and Local History displays much of interest about Edenkoben from its beginnings to the present.

Edenkoben a un long passé viticole. Abbaye cistercienne il y a 700 ans, l´actuel cloître de Heilsbruck près d'Edenkoben abrite un de plus grande cave vinicole d'Allemagne: elle peut contenir plus de 500.000 litres de vin exclusivement enfûtés dans des tonneaux en bois. L'église baroque protestante et l'église paroissiale catholique dominent la physionomie de la ville. Le musée régional d'Edenkoben raconte la naissance, l'histoire viticole et le développement de la localité.

Der bayerische König Ludwig l. baute seine Sommer-residenz, die Villa Ludwigshöhe, an dieser Stelle mit dem Ausspruch: „die schönste Quadratmeile meines Reiches". Auf die Frage, warum er es ablehne, um das Schloss Villa Ludwigshöhe einen Park anzulegen, antwortete er: „Um mich herum ist Park genug." Im Schloss befindet sich eine Gemäldeausstellung des Impressionisten Max Slevogt. Vom Schloss aus kann man mit der Sesselbahn zur Rietburg auf 550 Meter Höhe aufsteigen. Hier oben gibt es die wohl schönste Aussichtsterrasse der Deutschen Weinstraße.

Ludwig I, King of Bavaria, knew why he built his finest summer residence in what the called "the nicest square mile in my kingdom." When he was asked why he had not laid out a park around Villa Ludwigshöhe, he replied: "There is park enough around me." The palace houses an exhibition of works by the famous German Impressionist Max Slevogt. From here it is possible to take a chair lift up to the 550-metre-high Rietburg, where visitors are attracted to the finest observation terrace along the whole of the German Wine Route.

Le roi Louis Ier de Bavière fit construire sa résidence d'été dans, selon ses mots: « le plus beau kilomètre carré de mon royaume ». Quand on lui demanda pourquoi il ne faisait pas aménager de parc autour de la Villa Ludwigshöhe, il répondit: « il y a assez de parc autour de moi. » Le château abrite une exposition du peintre impressionniste Max Slevogt. Depuis la Villa Ludwigshoehe, on peut grimper par télésiège jusqu'aux ruines du château de la Rietburg, situé à 550 mètre de hauteur, qui offre un des plus panoramas sur la Route allemande du Vin.

Holzfass-Weinkeller

Auch heute setzen noch viele Winzer auf Tradition und keltern ihre Weine in Eichenholzfässern. Das Eichenholz ist nicht so porös wie viele andere Holzarten, die zu viel Sauerstoff an den Wein abgeben. Manche Holzarten würden auch zu viele Aromastoffe abgeben, die den Charakter des Weines beeinflussen könnten. Kiefernholz und Eukalyptus harzen zu viel, und Akazie verfärbt den Wein. Wieder andere Hölzer sind für die Fassherstellung nicht biegsam genug. In den Eichenfässern können die Weine zu Spitzenweinen heranreifen und mit einem runden und vollmundigem Aroma aufwarten.

Traditional wine cellar

Even today, many vintners maintain the tradition of storing their wines in oak barrels. Oak is not as porous as many other kinds of wood; a high porosity would permit too much oxygen to come into contact with the wine. Some woods contain aromatic oils, which influence the character of the wine too much. Pinewood and eucalyptus wood emit an excess of resin, while acacia discolours the wine. Other alternatives are less malleable. Oak barrels ensure that the wines mature to top quality and acquire a full-bodied, mellow flavour.

Cave de tonneaux en bois

Aujourd'hui encore, les vignerons suivent la tradition et font mûrir le vin dans des tonneaux en bois de chêne. Le chêne n'est pas aussi poreux que d'autres sortes de bois qui laisseraient pénétrer trop d'oxygène dans le vin. Quelques sortes de bois dégagent trop de substances aromatiques qui peuvent transformer le goût du vin. Les bois de pin et d'eucalyptus sont résineux; l'acacia change la couleur du vin; d'autres bois sont trop peu malléables. Dans les tonneaux en chêne, les vins peuvent mûrir et vieillir à point, prendre du corps et développer des arômes capiteux.

Seit hunderten von Jahren reiften in diesem Gewölbe-keller große Weinjahrgänge in mächtigen Eichenfässern heran. Heute wird im größten Weinkeller der Südlichen Weinstraße der Gaumen verwöhnt. Das Wasserschloss von Edesheim, dessen Ursprünge bis ins 8. Jh. zurückreichen, war einst Adelssitz von Kloster Weißenburg und Residenz der Speyerer Bischöfe. In den Sommermonaten finden hier heute auf der Seebühne im Park Festspiele vor der malerischen Schlosskulisse statt. An der Außenseite der barocken St. Peter und Paul-Kirche ziert eine Rokokostatue des Heiligen Nepomuk einen Torbogen.

Great wine vintages have matured in mighty oak barrels in this vaulted cellar for hundreds of years. Today, palates are titillated in the largest wine cellar on the Southern Wine Route. The Wasserschloss (moated castle) at Edesheim, whose origins go back to the 8th century, was once part of the Weissenburg Monastery estate and the residence of the Speyer Bishops. Nowadays, theatre productions take place on a stage in the lake in the summer months against the picturesque backdrop of the castle. A rococo statue of John of Nepomuk adorns an archway on the exterior of the baroque St Peter und Paul church.

Les grands crus reposent dans des fûts de chêne imposants, à l'intérieur des nombreuses caves qui s'étirent le long de la route du vin depuis des siècles. De nos jours, ces caves sont réputées pour la dégustation des grands vins. Le château entouré d'eau d'Edesheim, dont la première pierre fut posée au VIIIe siècle, était autrefois la propriété d'une famille noble du couvent de Wissembourg et lieu de résidence des évêques de Spire. Aujourd'hui, en été, la scène flottant sur les eaux entourant le château est le lieu de diverses manifestations culturelles et offre un cadre très pittoresque.

Rhodt unter Rietburg gehört zu den schönsten Dörfern an der Deutschen Weinstraße. Besonders sehenswert sind die Fachwerk- und Winzerhäuser, die auch noch aus dem Barock und der Renaissance stammen. In Rhodt wachsen die ältesten im Ertrag stehenden Weinstöcke Deutschlands. Sie wurden vor über 370 Jahren angepflanzt und tragen heute noch Traminer-Trauben. In der Villa Ludwigshöhe, dem Sommerschloss von Bayernkönig Ludwig II., sind heute Werke des impressionistischen Malers Max Slevogt ausgestellt. Von hier führt eine Sessel-bahn hinauf zur Aussichtsterrasse der Rietburg.

Rhodt unter Rietburg is one of the most beautiful villages on the German Wine Route. The half-timbered houses and wine taverns in Theresienstrasse, which date from the baroque period and the Renaissance, are definitely worth seeing. The oldest yielding vines in Germany grow in Rhodt. They were planted over 370 years ago and are still yielding Traminer grapes to this day. Works by impressionist painter Max Slevogt are exhibited in the Villa Ludwigshöhe, the summer palace of Bavarian king Ludwig II. A cable car goes from here up to the panoramic terrace of the Rietburg.

Rhodt unter Rietburg fait partie des villages les plus typiques jouxtant la route du vin allemande. Les maisons à colombages ainsi que les logis des vignerons de la Theresienstrasse datant de la période baroque et de la Renaissance méritent qu'on s'y attarde. Rhodt est réputé pour les plus anciens pieds de vigne d'Allemagne portant encore des fruits; plantés il y a plus de 370 ans, on y récolte encore le cépage Traminer. La villa Ludwigshöhe, résidence d'été de Louis II de Bavière, sert aujourd'hui de salle d'exposition aux œuvres du peintre impressionniste Max Slevogt.

Alljährlich an einem Sonntag im August wird die Deutsche Weinstraße für den Autoverkehr gesperrt. Radfahrer und Fußgänger bevölkern dann diese Straße. Die ganze Region verwandelt sich in ein riesiges Weinfest, unzählige Stände bieten Wein und Pfälzische Spezialitäten an. Die riesige Veranstaltung steht unter einem wechselnden Motto, zu dem die Ortschaften jeweils ein eigenes Programm anbieten. Hier wird auch erstmals neuer Wein des jeweiligen Jahrgangs ausgeschenkt.

Once a year on a Sunday in August, the German Weinstrasse is closed for traffic while cyclists and pedestrians take over the road. The entire region celebrates one huge wine festival where wine and Palatine specialities are offered at countless stands. The enormous event has a changing motto with all the towns offering their own individual programmes. New wine from the current year's vintage will also be sold here for the first time.

Chaque année, la Route allemande du Vin est fermée à la circulation routière durant un dimanche d'août. Piétons et cyclistes envahissent alors la chaussée. La région entière se transforme en une immense fête du vin où de multiples stands offrent vins et spécialités gastronomiques du Palatinat. Plusieurs évènements vous attendent le long de la route du vin, chaque village mettant en avant son propre programme, les thèmes sont évidemment très variés. C'est ici que l'ont déguste chaque année le vin nouveau.

△ Radtouren / Bicycle Tour / Tour à bicyclette   ▽ Kulinarisches im Weinberg / Dining in the vineyard / Dîner dans le vignobl   △Weinlese / Grape harvest / Vendanges   ▽ Weinhof in Rhodt

Die im 13. Jh. gegründete Stadt Landau ist das Zentrum der Südpfalz. Sie wurde einst von einem Festungsgürtel umgeben, von dem das Deutsche und Französische Tor erhalten blieben. Den Rathausplatz, der früher als weiträumiger Waffen- und Paradeplatz genutzt wurde, säumen das Böcking'sche Haus mit frühklassizistischer Fassade und das ehemals Städtische Kaufhaus. Hier wurden im Mittelalter Waren gelagert; heute befindet sich darin ein Kulturzentrum. In Landau locken die Weintage der Südlichen Weinstraße mit über 400 Weinen und Sekten im Frank-Loebschen-Haus die Besucher an.

The town of Landau, which was founded in the 13th century, is the centre of the Southern Palatinate. It was once ringed by fortifications, of which the gates Deutsches and Französisches Tor remain. The Rathausplatz, which was formerly used as a formation and parade ground, is edged by the Böcking'sche Haus with early classic facade and the former Städtisches Kaufhaus. Goods were stored here in the Middle Ages and today it houses a cultural centre. The wine festival of the Southern Wine Route with over 400 still and sparkling wines at the Frank-Loebschen-Haus attracts visitors to Landau.

La ville de Landau fondée au XIIIe siècle se trouve être le centre du Palatinat de sud; jadis ville fortifiée dont seules les Portes française et allemande ont été préservées. La place de la mairie autrefois utilisée comme vaste espace de parades militaires s'enorgueillit de la maison Böcking ou Böcking'sche Haus, réputée pour sa façade néo-classique, ainsi que de l'Ancien magasin. C'est ici qu'étaient stockées les marchandises au Moyen-âge. Les Journées du vin de la Südliche Weinstrasse accueillent à Landau de nombreux visiteurs qui viennent déguster là plus de 400 vins et mousseux dans la maison Frank-Loebsch.

Altstadtbummel in Landau

◁ Stiftskirche an der Marktstraße

△ Marktstraße
▽ Meerweibchen-Straße

Die Burg Trifels erhebt sich hoch über Annweiler. Zusammen mit den Ruinen Anebos und Scharfenberg bildet sie das so im Volksmund bezeichnete Burgendreigestirn. Hoch auf dem Sonnenberg wurde die erste Burganlage im 11. Jahrhundert errichtet; vermutlich gehen jedoch erste Befestigungsanlagen schon auf die keltische und römische Zeit zurück. Kaiser Heinrich nutzte die Burg zunächst als Staatsgefängnis und von 1125 bis 1298 wurden hier die Reichsinsignien, die Krone, der Reichsapfel, das Reichszepter und das Reichsschwert, aufbewahrt.

With the ruins of Anebos and Scharfenberg, Trifels Castle, towering high over Annweiler, forms the so-called castle trio. The first castle on the Sonnenberg was erected here in the 11th century, although possibly the original fortifications on this site were of Celtic and Roman origin. Emperor Heinrich first used the castle as a state prison, and then, from 1125 to 1298, Trifels became an imperial treasury for the royal insignia.

Le château Trifels domine le village d'Annweiler. Avec les ruines d'Anebos et de Scharfenberg, il forme les « trois châteaux-mages », selon un dicton populaire. Le premier château fut construit sur le Sonnenberg au XIe siècle, cependant des fortifications devaient déjà exister aux époques celtes et romaines; L'empereur Henri utilisa l'édifice comme prison avant que n'y soient conservés les insignes impériaux entre 1125 et 1298.

Die Reichskleinodien waren bis 1806 die Herrschaftszeichen der Könige und Kaiser des Heiligen Römischen Reiches. Burg Trifels wurde zum Schauplatz kaiserlicher Machtentfaltung und gilt als Lieblingsburg Kaiser Barbarossas. Der König Richard von England (Löwenherz), wurde 1194 auf seiner Rückreise nach England gefangengenommen und gegen ein hohes Lösegeld wieder frei gelassen. Mit dem Niedergang der Staufer verlor die Burg an Bedeutung. Nach einem Brand 1602 wurde die Burg weitestgehend zerstört und ab 1938 wieder aufgebaut, jedoch nicht authentisch.

Until 1806 the imperial crown, orb, sceptre and sword were symbols of the power of the kings and emperors of the Holy Roman Empire. Trifels Castle is said to have been Emperor Barbarossa's favourite castle." Trifels Castle came to represent the developing might of the Empire, and it was here that Richard Lion Heart, King of England, was imprisoned in 1194. The castle's fortunes declined with the demise of the Staufer dynasty. In 1602, Trifels was almost completely destroyed by fire. After 1938 it was rebuilt, although not in an authentic style.

Jusqu'en 1806, la couronne, le sceptre et l'épée ont été les signes du pouvoir des rois et empereurs du Saint Empire romain. Burg Trifels évoque la gloire et le puissance impériale: c'est ici que fut emprisonné en 1194 le roi d'Angleterre Richard Coeur de Lion. Le château perdit de son importance avec le déclin des Staufer. Un incendie le dévasta en 1602 et il ne fut reconstruit qu'à partir de 1938. Toutefois, l'édifice actuel n'a pas été restauré dans sa forme authentique.

Im größten zusammenhängenden Waldgebiet Deutschlands, dem Biosphärenreservat Pfälzerwald, liegt das malerische Reichsstädtchen Annweiler. Durch die Stauferkaiser bekam der Ort eine besondere Bedeutung, was sich in dem mittelalterlichen und romantischen Landstädtchen widerspiegelt. Im ganzen Ort sind historische Gebäude zu finden, wie das Storchentor, das älteste Gasthaus der Südlichen Weinstraße (1560), die Gerberhäuser und das prachtvolle Fachwerkhaus Keysereck am Rathausplatz von 1634.

The picturesque town of Annweiler, once an Imperial city, lies in the biosphere reserve of the Palatinate Forest, the biggest contiguous forest in Germany. Annweiler enjoyed special status under the Staufer dynasty, and its former importance is still reflected in the medieval features of this romantic country town. Historic buildings can be found all over Annweiler, including the "Storchentor", (1560) the oldest inn on the Southern Wine Route, the tanners' houses and the fine half-timbered Keysereck house (1634) on the Town Hall square.

L'ancienne petite ville d'Empire se niche dans le parc naturel du Pfälzerwald qui constitue la plus région boisée d'un seul tenant d'Allemagne. L'influence des empereurs Staufer marque encore la commune pittoresque aux traits médiévaux et à l'atmosphère romantique. Elle est riche d'édifices historiques tels que le « Storchentor » (Porte des cigognes), la plus ancienne auberge (1560) du sud de la Route du vin, la somptueuse maison à colombages Keysereck de 1634 sur la place de l'hôtel de ville, sans oublier les maisons des tanneurs.

Ruine Neuscharfeneck, Annweiler

Fast 500 Meter hoch liegt die Burgruine Neuscharfeneck. Sie wurde Anfang des 13. Jh. durch Johann von Scharfeneck-Metz errichtet. 1416 kam sie an das Haus Kurpfalz. Im Bauernkrieg wurde sie zerstört. Die zwölf Meter dicke Schildmauer ist mit vielen Gängen und Kammern versehen, die es mit einer Taschenlampe zu erkunden gilt.

The ruins of Neuscharfeneck stand on a height of nearly 550 metres. The extensive castle grounds were laid out in the early 13th century and were the work of Johann von Scharfeneck-Metz. In 1416 the castle fell to the house of Kurpfalz and was destroyed during the Peasants` War. The 12-metre-thick defensive wall is riddled with passageways and chambers, and visitors are advised to use a torch to explore them.

La vaste ruine du château de Neuscharfeneck s´élève à 500 mètres. Ce château succéda à un premier bastion, construit au début du XIIIᵉ siècle par Johann von Scharfeneck-Metz. La muraille de 12 mètres d´épaisseur renferme un dédale de corridors et de petites salles. On peut les explorer, mais il vaut mieux avoir une lampe de poche avec soi.

Asselstein bei Annweiler

Der Asselstein ist ein markanter Buntsandsteinfelsen, der weit über den umliegenden Wald hinausragt. Ein typischer Pfälzer Kletterfelsen, der an Wochenenden sportliche Freikletterer anlockt.

The Asselstein is a remarkable red sandstone rock towering high above the surrounding forest. It is one of the typical rock formations suitable for climbing, which attracts freelance climbers on a weekend.

Le rocher en grés impressionnant appelé Asselstein domine toute la forêt environnante. L´Asselstein est un rocher typique d´escalade comme on en trouve plusieurs dans la région. Les week-ends surtout, il attire de nombreux visiteurs, dont des tandis que les alpinistes amateurs.

Nachdem Birkweiler 1999 beim Wettbewerb „Unser Dorf soll schöner werden – unser Dorf hat Zukunft" mit der Goldplakette des Landes Rheinland-Pfalz ausgezeichnet wurde, zählt es auch offiziell zu den schönsten Dörfern des Landes. In dem 700 Jahre alten typischen Winzerdorf wird der Wein in den Lagen „Keschdebusch" nach den Esskastanien benannt. Die Weine „Mandelberg" und „Rosenberg" werden hier angebaut. Ausgeschenkt werden diese Weine auch beim Weinfest Ende Juli, dem ältesten in der Region. Viele Fachwerk- und Steinhäuser stammen noch aus dem 18. Jh..

Since 1999 Birkweiler was awarded the gold plaque of the State of Rhineland Palatinate in the "Our village shall be more beautiful – our village has a future" beautiful village competition, it has also officially been one of the most beautiful villages in the state. Wine is cultivated on the „Keschdebusch" slopes, named after the chestnuts, in the 700-year-old typical wine village. The Mandelberg and Rosenberg wines are produced here. This wine is sold at the Weinfest at the end of July, the oldest in the region. Many half-timbered and stone houses still date from the 18th century.

La commune de Birkweiler compte officiellement parmi les villages les plus pittoresques du Land, après s'être vu attribuer en 1999 la médaille d'or du Land Rhénanie-Palatinat lors du concours « notre village doit devenir le plus coquet – notre village a de l'avenir ». Dans ce village typique de vignerons de plus de 700 ans, les vins des coteaux du Keschdebusch sont nommés d'après différentes sortes de marrons. C'est ici que sont élaborés les vins des coteaux de Mandelberg et de Rosenberg, les plus anciens de la région, qui peuvent aussi être dégustés lors des fêtes du vin, fin juillet.

◁ LEINSWEILER, Slevogthof

Unterhalb der alten Burg Neukastel stand ein landwirtschaftliches Hofgut zur Versorgung der Burg, das 1558 als Schlossgut erwähnt wurde. An dieser Stelle entstand der heutige Slevogthof, umgeben von Wäldern mit Edelkastanien. Lange Zeit war dies der Wohnsitz des Impressionisten Max Slevogt (1868-1932).

Below the castle of Neukastel there used to be a farm. It was on this site that the present-day Slevogthof (1558) was built, surrounded by chestnut tree woods. For many years this was the house of the German Impressionist painter Max Slevogt (1868-1932).

Un domaine agricole s´étendait au-dessous de Burg Neukastel. Il est en effet mentionné dans un écrit de 1558 comme ferme du château. Entouré de forêts de châtaigniers, le domaine a longtemps été la résidence du peintre impressionniste Max Slevogt (1868-1932).

▽ Slevogthof

Privatraum von Max Slevogt mit aufwändigen Wand- und Deckengemälden.

Privat rooms of Max Slevogt, with wall and ceiling frescos.

Secteur privéde Max Slevogt avec la epinture de couverture et de paroi.

Billigheim-Ingenheim, „Purzelmarkt" ▷

Alle Jahre wieder und das schon seit 1450: Immer am dritten Wochenende im September öffnet das südpfälzische Billigheim seine Festtore und lädt ein zum ältesten Volksfest der Pfalz.

Every year since 1450, on the third weekend in September, the town of Billigheim opens its gates to the oldest festival in the whole Palatinate region.

Tous les ans, depuis 1450, Billigheim dans le sud du Palatinat, ouvre ses portes le troisième week-end de septembre et invite à la plus ancienne fête populaire de la région.

KLINGENMÜNSTER, Burg Landeck

Seine Entstehung verdankt Klingen-münster einem ehemaligen Benedik-tinerkloster, von dem man heute noch die Klosterkirche aus dem 11. Jh. besichtigen kann. Das Kloster selbst stammt aus dem 7. Jh. Auf einer Anhöhe über dem Kling-bachtal erhebt sich Burg Landeck.

Klingenmünster owes its existence to a former Benedictine monastery. The 11th century church still exists. The monastery dates from the 7th century. Landeck Castle is situated on a hill over the Klingbach Valley.

Klingenmünster doit sa fondation à un ancien cloître de Bénédictins construit au VIIe siècle. Aujourd'hui, on peut encore en visiter l'église datant du XIe siècle. Le château Landeck s'élève sur une hauteur au-dessus de la vallée du Klingbachtal.

PFÄLZERWALD bei Klingenmünster

Der Pfälzerwald, das sind 179.000 Hektar Buchen, Eichen, Tannen, Fichten, Kiefern, Lärchen, Ahorn, Edelkastanien; dazwischen romantische Burgruinen, Kletterfelsen, kleine Dörfer und kühle Wiesentäler. Hier erlegte einst der Jäger aus Kurpfalz sein Wild. Heute steht das Waldgebiet unter dem Schutz der UNESCO als Biosphärenreservat.

The Palatinate Forest comprises an area of 179,000 hectares – the trees include oaks, firs, spruces, pines, larches, sycamores and chestnuts. In between are scattered romantic castle ruins, rock-climbing faces, small villages and cool, low-lying meadows.

Le Pfälzerwald ou Forêt du Palatinat consis-te en une région de 179 000 hectares plan-tés de chênes, hêtres, pins, sapins, mélèzes, épicéas, érables, châtaigniers; des forêts ad-mirables entre lesquelles on découvre des ruines de châteaux, des parois rocheuses, des villages et des vallées riantes.

Der Name Bad Bergzabern stammt von Siedlern aus Zabern am Rhein, die hier im 12. Jahrhundert den Ort gründeten. Eine Festung entstand, die jedoch zusammen mit der Stadt im 17. Jahrhundert bei einem großen Brand zerstört wurde. Heute ist Bad Bergzabern als heilklimatischer Kurort und Thermalbad bekannt. Sehenswert sind das ehemalige Schloss der Herzöge von Pfalz-Zweibrücken, das anstelle eines ehemaligen Wasserschlosses erbaut wurde, sowie die Innenstadt mit ihrer neu gestalteten Fußgängerzone und den noblen Patrizierhäusern.

The name Bad Bergzabern derivers from settlers from Zabern on the Rhine who established the place in the 12th century. A fortress was built, but it was destroyed together with the town in a big fire in the 17th century. Today, Bad Bergzabern enjoys a reputation as a spa, thermal bath and climatic resort. The former palace of the dukes of Pfalz-Zweibrücken, built on the site of a former castle surrounded by water, and the town centre with a remodelled pedestrian precinct and noble patrician houses are worth visiting.

Bad Bergzabern doit son nom à des émigrés originaires de Saverne (Zabern) en Alsace qui fondèrent la localité au XIIe siècle. Au XVIIe siècle, un grand incendie détruisit la ville entourée de fortifications. Aujourd'hui, Bad Bergzabern est connue comme station climatique et thermale. A voir sont l'ancien château des ducs de Pfalz-Zweibrücken, construit à l'emplacement d'un château entouré d'eau ainsi que le centre ville avec de belles maisons patriciennes et des zones piétonnières nouvellement aménagées.

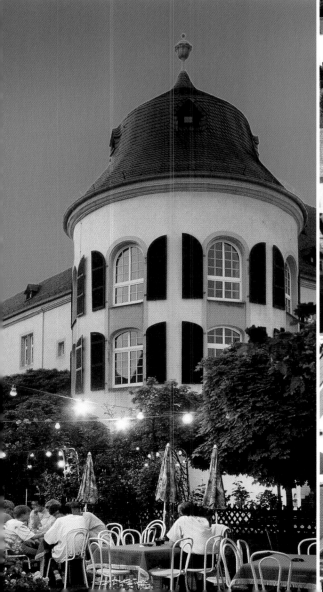

BAD BERGZABERN

Dort, wo sich Wald und Weinberge treffen, wo die schroffen Felsen des Wasgaus mit der Deutschen Weinstraße eine harmonische Einheit bilden – dort liegt Bad Bergzabern. Von schmucken Wein- und Walddörfern umgeben, liegt das malerische Kurstädtchen mit seinem historischen Stadtbild, einem prächtigen Schloss, idyllischen Parkanlagen und einer ureigenen Thermalquelle. Hier kann man stimmungsvolle Stunden in der verwinkelten Altstadt und zwischen herrlichen Patrizierhäusern mit schmucken Giebeln und Erkern genießen.

BAD BERGZABERN

At the point where woods and vineyards meet and where the precipitous bluffs of the Wasgau area forms a harmonious unity with the German Wine Route, there lies Bad Bergzabern. This is a picturesque little health resort with a historic town centre, a splendid palace, an idyllic park and its very own thermal springs. Here visitors can while away many pleasant hours exploring the delightfully winding lanes of the Old Town and the dignified patricians´ houses decorated with picturesque gables and oriel windows.

BAD BERGZABERN

Bad Bergzabern s'étend là où la forêt rencontre la vigne et où les rochers escarpés du Wasgau forment une unité harmonieuse avec la Route allemande du Vin. L'agréable petite station thermale est entourée de pittoresques villages nichés dans le vignoble ou au milieu des forêts. Bad Bergzabern possède un coeur historique, un château superbe, un parc idyllique et une source thermale ancestrale. Ses vieux quartiers aux ruelles tortueuses bordées d'admirables maisons patriciennes aux beaux pignons et encorbellements, invitent à la découverte.

BAD BERGZABERN, Bergkirche

Der Bau der Bergkirche wurde einst von den Lutheranern begonnen und von der Witwe Caroline von Nassau-Zweibrücken fertiggestellt, welche das Schloss 1744 bezog. Bemerkenswert ist das Ostportal mit zwei toskanischen Säulen. Im Inneren finden wir viele Merkmale, die den romantischen Hauch vergangener Fürstenherrlichkeit verspüren lassen. Unter dem Altarraum befindet sich die sogenannte Fürstengruft. Gegenüber der Kirche sieht man noch ein großes Stück der Stadtmauer in der ursprünglichen Höhe von sechs Metern.

BAD BERGZABERN, hilltop church

The building of the Bergkirche, or hill church, was begun by the Lutherans and completed by the dowager Caroline of Nassau-Zweibrücken, who moved into the palace in 1744. The east entrance is remarkable for its two Tuscan pillars. In the interior we find many features which are reminiscent of the romance of a long-gone aristocratic era. Beneath the altar you can find the so-called Duke´s Crypt. Standing opposite the church there is a large section of the town wall which still stands at its original height of six metres.

BAD BERGZABERN, église

La construction de cette église fut commencée par les Luthériens et achevée par Caroline von Nassau-Zweibrücken qui s'installa en 1744 au château, après son veuvage. Le portail ouest, flanqué de deux colonnes toscanes, est remarquable. À l'intérieur, de nombreux objets témoignent de la splendeur princière des temps passés. Le caveau des princes se trouve sous l'autel. En face de l'église, on peut voir un grand morceau de l'ancienne enceinte de la ville qui était haute de six mètres à l'origine.

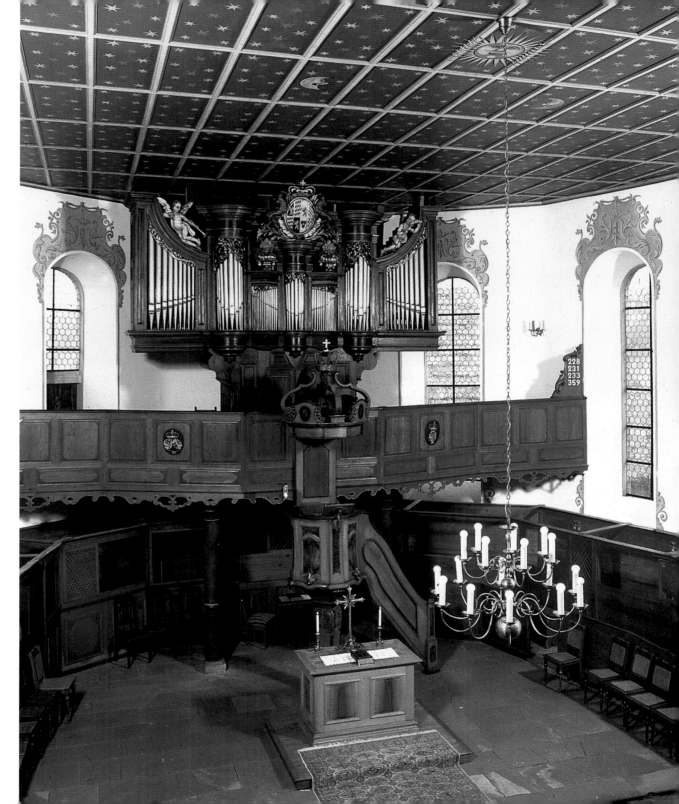

Dörrenbach hat ein besonders malerisches Ortsbild mit Fachwerkhäusern. Aus dem 16. Jahrhundert sind das Rathaus und die Wehrkirche erhalten. Das Rathaus ist im Renaissancestil erbaut und mit zahlreichen Schnitzereien geschmückt. Die Wehrkirche steht inmitten eines befestigten Friedhofs. — Weithin bekannt ist das 1955 wieder aufgebaute Deutsche Weintor in Schweigen, das nahe der französischen Grenze den südlichen Abschluss der Deutschen Weinstraße bildet. Die Weinlandschaft findet mit der Elsässischen Weinstraße ihre Fortsetzung.

Dörrenbach is proud of its especially picturesque aspect which it owes to the half-timbered houses, its town hall of the 16th century, and a fortified church. The Renaissance town hall is decorated by numerous carvings. The fortified church stands in the middle of a fortified cemetery. — The German Wine Gate of Schweigen, rebuilt in 1955, which stands at the southern end of the German Weinstrasse near the French border, is a well-known landmark. The wine landscape finds its continuation with the Alsacien wine route.

Dörrenbach présente une physionomie particulièrement pittoresque avec ses maisons à pans de bois, un hôtel de ville et une église fortifiée du XVIe siècle. L'hôtel de ville, construit en style Renaissance est décoré de nombreuses sculptures. L'église fortifiée se dresse au milieu d'un cimetière entouré d'une enceinte. — La Porte allemande du Vin à Schweigen, reconstruite en 1955, ferme la Route allemande du Vin en son Sud, près de la frontière française. Le Paysage de vignobles se poursuit avec la Route alsacienne du vin.

Berwartstein in Erlenbach bei Dahn ist die wieder aufgebaute und bewohnte Felsenburg des einstigen Ritters von Trott. Im südlichen Pfälzerwald bestimmen seit jeher rotleuchtende Felsgebilde aus Buntsandstein das Bild. Die Felsenburgen im Wasgau sind beeindruckende Zeugen für den Festungsbau der Staufer. Der Fels diente ihnen als Fundament für die mächtigen Burgen. Sie gruben weitere Kammern und Gänge in den weichen Buntsandstein und errichteten darüber die eigentlichen Burgen. Das Bild unten links zeigt die Rüstkammer der Burg.

Berwartstein at Erlenbach near Dahn, a hilltop castle of the former Baron von Trott, has been rebuilt. The glowing new red sandstone formations have always been the hallmark of the southern Pfälzerwald on which mighty castles were built. The hilltop castles in the Wasgau serve as an impressive example of fortified building by the Staufers who used the rock as their foundations. First, chambers and corridors were carved out of the soft new red sandstone, then above them the actual castle was built. The picture at the bottom left-hand corner shows the preparation chamber.

Berwartstein à Erlenbach près de Dahn est le château-fort, reconstruit et encore habité aujourd´hui, des anciens chevaliers de Trott. Depuis toujours, un paysage de rochers en grès rouge rehausse le Sud de la Forêt du Palatinat. Des châteaux-forts massifs étaient bâtis autrefois sur ces rochers. Les forts impressionnants du Wasgau rappellent l´architecture de la lignée des Staufen. La roche servait de fondation. Des salles et corridors étaient creusés dans le grès tendre et les édifices bâtis au-dessus. L´image montre vers le bas à gauche la salle d´armes.

Die Dahner Burgenruine ist die größte Burganlage der Pfalz. Auf einer Sandsteinklippe aus fünf Felsen entstanden nacheinander drei Burgen. Sie sind eindrucksvolle Beispiele für die Felsenburgen des Wasgaus. Im Verfall haben sich die verwitterten Mauern und die abgemeißelten Felsen verbunden und sind zu einer Einheit geworden. Die Burgruine Altdahn ist am besten erhalten und gehört zusammen mit den Ruinen von Tanstein und Grafendahn zu den interessantesten Felsenburgen im Wasgau.

The Dahner Ruins are the biggest castle complex in the Palatinate. Three castles were built in succession on a sandstone bluff of five great rocks. They are impressive examples of the hilltop castles of the Wasgau area. As they have disintegrated, the weather-beaten walls and chiselled rocks have merged into a unity. Archaeologists tell us that Tanstein is the oldest castle. The Ruin Altdahn is the best preserved and, together with the ruins at Tanstein and Grafendahn, shows us some of the most interesting mountain fortifications in Wasgau.

Le Dahner ruines est on voit ici la plus grande édification féodale du Palatinat. Trois châteaux furent construits, l'un après l'autre, sur une crête de grès formée de cinq rochers. Les édifices tombèrent peu à peu en ruine; les murs et la roche taillée se fondirent pour ne plus former qu'une unité. Les Ruin Altendahn sont les mieux conservées avec les ruines de Tanstein et de Grafendahn et comptent parmi les vestiges de châteaux-forts les plus intéressants du Wasgau.

PFÄLZERWALD – Dahner Felsenland ▷

Dieser Buntsandsteinfelsen ist charakteristisch für den Wasgau und ist der wohl bekannteste Felsen der Pfalz. Die bizarren Formen der Buntsandsteinfelsen im Wasgau regen die Phantasie an und sorgten vielleicht auch deshalb für Namen wie „Teufelstisch", „Braut und Bräutigam", „Drachenfels" und „Jungfernsprung". Der Teufelstisch bekam seine Form durch Erosionen in einer Zeit, als in der Pfalz noch ein Wüstenklima herrschte. Unlängst wurde hier ein Erlebnispark für Familien eröffnet.

PFÄLZERWALD – Dahner Rocks

This new red sandstone rock, probably the best-known of its kind in the Palatinate, is typical of the Wasgau. The strange new red sandstone rock formations in the Wasgau stimulated people´s imagination which might be the source of names such as "Devil's Table", "Bride and Bridegroom", "Dragon's Rock" and "The Virgin's Bound". The prehistoric Devil's Table was formed by erosion in a geological era when there was still a desert climate in the Palatinate.

PFÄLZERWALD – Dahner rochers

Ces rochers en grès sont caractéristiques pour le Wasgau et sans doute les plus connus du Palatinat. Leurs formes bizarres avivent l´imagination et c´est peut-être pourquoi ils portent des noms tels Table du Diable (Teufelstisch), les Jeunes Mariés (Braut und Braeutigam) Dragon (Drachenfels) et Saut de la Vierge (Jungfernsprung). Le « Teufelstisch » (Table du diable) s´est formé dans le massif de Rehberg par l´érosion successive de couches dures de grès caillouteux et de couches instables de sable. Les strates de sable datent d´une période à laquelle un climat désertique régnait dans le Palatinat.

◁ RUINE ALTDAHN , Felsenseite

Pirmasens ist eine bedeutende Stadt in der Westpfalz. Sie gewann an Bedeutung, als Ludwig IX. sie zur Garnisonsstadt ausbaute und hier auch residierte. Schon zu Beginn des 19. Jahrhunderts wurden hier Schuhe hergestellt. Ihren Ruf als Schuhstadt behielt Pirmasens bis heute bei. Das Schuhmuseum mit seiner ursprünglichen Schuhmacherwerkstatt gibt einen Einblick in das alte Handwerk. Ehemalige Schuhfabriken wurden zu Gewerbeparks und Dienstleistungszentren umgebaut, da nur wenige Schuhproduzenten die Massenfabrikation der Neuzeit überlebt haben.

Pirmasens in the Western Palatinate is a very important city, having gained in importance when Louis IX enlarged it to turn it into a garrison town. Shoes were made at Pirmasens as early as the 19th century, and it has kept its reputation as a shoe centre until today. The visitor will better understand the art of shoemaking after a visit to the local Shoe Museum. With the introduction of modern mass production methods, few traditional shoe manufacturers have managed to survive, and many former shoe factories have been converted to business parks and service centres.

Pirmasens est une ville importante du Palatinat occidental. Elle se développa quand Louis IX la transforma en ville de garnison et y résida. Une fabrique de chaussures y fut fondée dès le début du XIXe siècle. Pirmasens est encore aujourd'hui connue comme « ville de la chaussure ». Le musée de la Chaussure avec un ancien atelier de cordonnier donne un aperçu de l'artisanat d'autrefois. La plupart des anciennes manufactures de chaussures n'ont pas survécu à la production en masse de l'ère moderne et ont été transformées en parcs industriels et de prestations de services.

Wie schon vor mehr als 2500 Jahren führen wichtige Verkehrswege durch Landstuhl, wie auch der Pfälzische Jakobsweg kreuzen heute viele Wanderwege die Stadt. Der Ort liegt am Rand der westpfälzischen Moorniederung und wurde als Moorbad bekannt, das sich zum anerkannten Erholungsort entwickelte. Auf Burg Nanstein, welche die Stadt überragt, erlag Ritter Franz von Sickingen seinen Verletzungen, die er sich im Kampf zuzog. Sein Grabmal befindet sich in der Pfarrkiche St. Andreas.

Just as Landstuhl was located on major trading routes over 2500 years ago, it now marks the hub of numerous hiking paths such as the Palatine Camino de Santiago Pilgrim trail. Landstuhl, on the border of the marshy West Palatine lowlands, grew into a spa famed for mud baths and eventually gained official status as a spa town. Landstuhl, a known mud-bath resort and a recognised spa, is located at the edge of the marsh valley in the western Palatinate. It was here that Knight Franz von Sickingen died of his wounds from a fight at Nanstein Castle towering high over the town.

Aujourd'hui encore, comme il y a plus de 2500 ans, d'importantes voies de communication traversent Landstuhl. Le chemin de Saint-Jacques de Compostelle longe la ville qui s'étend à la lisière de la région de marais du Palatinat occidental et est réputée pour ses cures de fango. De nombreux chemins de randonnée sillonnent la campagne environnante. Landstuhl s'étend à la lisière des tourbières du Palatinat occidental. La ville est une station de cure, réputée pour ses bains de boue.

Kaiserslautern liegt malerisch mitten im Naturpark Pfälzerwald. Das Tor zur Altstadt bildet der schmucke St. Martinsplatz. Auf der so genannten Spoliensäule sind Architekturteile von sechs Jahrhunderten der Stadtgeschichte sichtbar. Das Alte Stadthaus von 1745, das Rettig'sche Haus aus der Mitte des 18. Jh. und das einstige Hotel zum Donnersberg, wo Napoleon einst gefrühstückt hat, sorgen für eine idyllische Atmosphäre. In der Bildmitte sieht man die Stiftskirche (13. Jh.). Schon um 830 befand sich hier ein Königshof, den Kaiser Otto III. 985 zu einer Kaiserpfalz erweiterte.

Kaiserslautern is picturesquely located at the centre of the Palatinate Forest. Pretty St Martinsplatz forms the gateway to the Old Town. The Spoliensäule pillar displays architectural fragments from six centuries of local history. The Old Town Hall (1745), the mid-18th century Rettig'sches Haus and the former Hotel zum Donnersberg, where Napoleon once had breakfast, all contribute to the town's idyllic atmosphere. The Collegiate Church dates from the 13th century (photo centre). As early as 830 there was a royal court here, expanded to a palace by Emperor Otto III in 985.

Kaiserslautern s'étend dans une situation pittoresque au coeur du parc naturel du Pfälzerwald. La jolie place dite St. Martinsplatz s'ouvre sur les vieux quartiers de la ville. Sur les colonnes appelées Spoliensäule, on peut voir des éléments architecturaux qui racontent 6 siècles d'histoire de la cité. L'ancien hôtel de ville de 1745, le Rettig'sches Haus du milieu du XVIIIe siècle et l'ancien hôtel de Donnersberg, où Napoléon déjeuna, créent une atmosphère romantique. Dès 830 se trouvait ici une résidence royale que l'empereur Otto III agrandit en 985.

Der 1152 entstandene Name „Barbarossastadt" er-innert daran, dass Kaiser Friedrich Barbarossa hier in strategisch günstiger Lage eine Kaiserpfalz errichten ließ. Den Aufschwung brachte Pfalzgraf Johann Casimir, der „Jäger aus Kurpfalz". Heute ist Kaiserlautern eine moderne Stadt, die viele Möglichkeiten der Naher-holung bietet, wie das Hammerbachtal, ein 22 Hektar großes Naturschutzgebiet. Kaiserslautern gilt als eine der deutschen Fußball-Hochburgen, deren Stadion nach Fritz Walter, dem Kapitän der deutschen National-elf während der Weltmeisterschaft 1954, benannt ist.

The name „Barbarossastadt", which originated in 1152, reminds us that Emperor Frederick I Barbarossa had an imperial palace built here in a strategically favourable location. The town was given a new lease of life by Count Palatine Johann Casimir, a canny ruler and pas-sionate huntsman. Today, Kaiserslautern is a modern town which offers a wide range of local recreational facilities, like the Hammerachtal. Kaiserslautern is con-sidered important to German football, its stadium is named after Fritz Walter, the captain of the national team during the 1954 world championship.

Le surnom de Barberousse qui lui a été donné en 1152 rappelle que l'empereur Frédéric Barberousse édifia un palais impérial sur ce lieu stratégique. Mais elle prit surtout de l'essor sous le règne du comte palatin Johann Casimir, le « chasseur du palatinat électoral ». Kaiser-lautern est aujourd'hui une ville moderne, où s'étend à l'ouest une superbe réserve naturelle. Kaiserslautern est considéré au football allemand, un stade qui porte le nom de Fritz Walter, capitaine de l'équipe de football lors de la coupe du monde de 1954 puis capitaine ho-noraire de l'équipe nationale allemande.

BURG FRANKENSTEIN

Malerisch erhebt sich die Burg Frankenstein auf einem Bergvorsprung über dem gleichnamigen Ort. Die Burg wurde von den Leininger Grafen an Stelle eines Wartturmes Anfang des 13. Jahrhunderts zur Sicherung der Straße von Kaiserslautern nach Neustadt errichtet und war bereits im 16. Jahrhundert nicht mehr bewohnt. Sie befand sich auch in habsburgischem Besitz. Bekanntester Burgherr war Kaiser Joseph II., der Sohn von Maria Theresia. Heute finden vor der Kulisse der alten Ruine Freilichtspiele statt. Den fünfgeschossigen Saalbau der Unterburg zieren gotische Fenster, in der Oberburg gibt es die Reste eines Bergfrieds.

Frankenstein Castle

Frankenstein Castle sits in a picturesque location atop a mountain ledge above the town of the same name. The castle was built by the Counts of Leiningen on the site of a watchtower at the start of the 13th century to defend the road from Kaiserslautern to Neustadt. It was already uninhabited by the 16th century. It was also owned by the Habsburgs. The most famous lord of the castle was Emperor Joseph II, son of Maria Theresa. Today, open-air plays take place against the backdrop of the old ruins. The five-storey Saalbau of the lower fortification has gothic windows and the remains of a keep are still visible in the upper fortification.

Château-fort de Frankenstein

Le château-fort de Frankenstein se dresse sur une paroi rocheuse qui surplombe de façon pittoresque le bourg du même nom. Les ducs de Leiningen ont remplacé au début du XIIIe siècle le donjon par un château-fort pour sécuriser la route qui va de Kaiserslautern à Neustadt. Il ne fut plus habité dès le XVIe siècle. L'empereur Joseph II, fils de Marie-Thérèse d'Autriche et descendant de la maison des Habsbourg, en fut l'un des propriétaires les plus connus. Aujourd'hui, les ruines de ce château-fort servent de cadre romantique aux pièces de théâtres jouées en plein air.

Deftig sind die kulinarischen Pfälzer Spezialitäten, sei es Gans gefüllt mit Esskastanien, Pfälzer Saumagen mit Kraut oder Zwiebelkuchen mit frischen Wein.

Die Pfalz bietet jedem etwas. Ausgedehnte Waldgebiete mit markierten Wegen, romantische Aussichten auf idyllische Orte und Felsformationen, die alle zum Wandern einladen. Befestigte Wege führen durch die Weinberge. Dort kann man im Herbst den Winzern bei der Traubenlese zusehen. Den Gast, der hier einige Ferientage verbringen möchte, laden Privatunterkünfte und Gasthäuser zum Verweilen ein. Wer kräftige Hausmannskost zu schätzen weiß, kann sich an der Pfälzer Küche gütlich tun. Im Frühsommer wird der schmackhafte Pfälzer Spargel angeboten. Wer einen guten Tropfen zu schätzen weiß, dem bieten die Weinkeller eine reichhaltige Auswahl. Dabei ist es jedem selbst überlassen, ob er ein gemütliches Lokal aufsucht, beim Winzer eine Weinprobe nimmt oder sich auf einem der zahlreichen Weinfeste bewirten lässt.

Sportliche können viele Möglichkeiten nutzen und die Pfalz mit dem Fahrrad erkunden. Im Wasgau laden Buntsandsteinfelsen zum Klettern ein. Wer sich für Geschichte interessiert, trifft in der Pfalz auf viele historische Zeugnisse. Kelten und Römer, Staufer und Salier haben ihre Spuren hinterlassen. Die Dom- und Kaiserstadt Speyer lädt zum Bummel durch ihre über 2000-jährige Geschichte ein. Das Hambacher Schloss gilt als Wiege der deutschen Demokratie. Wer für Kulturelles zu begeistern ist, begibt sich am besten in eine der Städte, vielleicht nach Kaiserslautern. Aber auch in kleinen Theatern oder bei Laienspielgruppen gibt es Interessantes und Kurzweiliges zu entdecken. Natur gibt es reichlich in der Pfalz und das milde Klima lässt südländische Pflanzen wachsen.

Die Pfalz hat aber noch weit mehr zu bieten - am besten, Sie kommen und überzeugen sich selbst!

The specialities of Palatine cooking such as "Pfälzer Saumagen" with cabbage, goose filled with sweet chestnuts or onion cake and new wine are on the hearty side.

There is something for everybody in the Palatinate. Extensive forests with marked paths, picturesque views of castles and rocks invite the hiker. Secure paths crisscross the vineyards where the wine growers can be watched harvesting their grapes in autumn. The visitor who wants to spend a few days relaxing in the area can choose among private accommodation and inns to stay at. Friends of hearty plain fare will enjoy Palatine cooking. Early in summer tasty Palatine asparagus is offered everywhere, and whoever appreciates good wine will have plenty to choose from. You can drink the wine either at a comfortable inn, sample it at a wine-grower's or participate in one of the numerous wine festivals.

Sport fans should take the opportunity to explore the Palatinate by cycle, land climbers can tackle one of the new red sandstone rocks in the Wasgau. The visitor interested in history will encounter many sites of historical interest in the Palatinate where there are plenty of traces left by Celts and Romans, Staufer and Salian emperors. Speyer, the city of emperors and the cathedral, invites to a stroll through 2000 years of history. Hambach Castle is considered the cradle of German democracy. Those who prefer culture are well advised to go to one of the towns, maybe to Kaiserslautern. Small professional or amateur theatres guarantee interesting and entertaining performances. There is plenty of natural interest in the Palatinate, as the mild climate favours the growth of Mediterranean plants.

The Palatinate, however, offers all this and much more – best come and see for yourself!

Les spécialités culinaires palatines offrent une cuisine solide: panse de porc à la choucroute, oie fourrée aux châtaignes ou tarte à l'oignon et vin nouveau.

Le Palatinat a quelque chose à offrir à chacun. De vastes espaces boisés aux sentiers balisés, des vues impressionnantes sur des châteaux ou des rochers invitent à la randonnée. Des chemins quadrillent les vignobles. A l'automne, on peut voir les vignerons faire leurs vendanges. Le touriste désireux de séjourner dans la région pendant quelques jours a le choix entre de nombreuses auberges ou chambres chez l'habitant. Ceux qui aiment la cuisine rustique apprécieront les spécialités du Palatinat. Au début de l'été, les asperges du pays sont un vrai régal. Les caves offrant un grand choix de crus feront le bonheur des amateurs de vin. Mais on peut aussi le boire en maints endroits, par exemple dans une auberge sympathique, à une dégustation chez les vignerons ou à une des innombrables fêtes du vin.

Les sportifs ont de nombreuses possibilités leur permettant de découvrir le Palatinat à bicyclette. Les amateurs d'escalade se rencontreront sur les rochers de grès du Wasgau. Le Palatinat a beaucoup à offrir à ceux que l'Histoire captive. Les Celtes, les Romains, les Staufen et les Saliens y ont laissé leurs traces. Spire (Speyer) évêché et ville impériale a 2000 années d'histoire à raconter. Le château de Hambach est considéré comme «le berceau de la démocratie allemande». Ceux qui aiment les événements culturels se rendront dans une des villes, peut-être Kaiserslautern. Mais de petits théâtres et des troupes amateurs de talent sont à découvrir dans toute la région.

Le Palatinat est aussi synonyme de nature:le climat doux y fait pousser une végétation luxuriante, méridionale. Mais le Palatinat a bien plus à offrir encore; il suffit de venir le visiter pour s'en rendre compte soi-même!

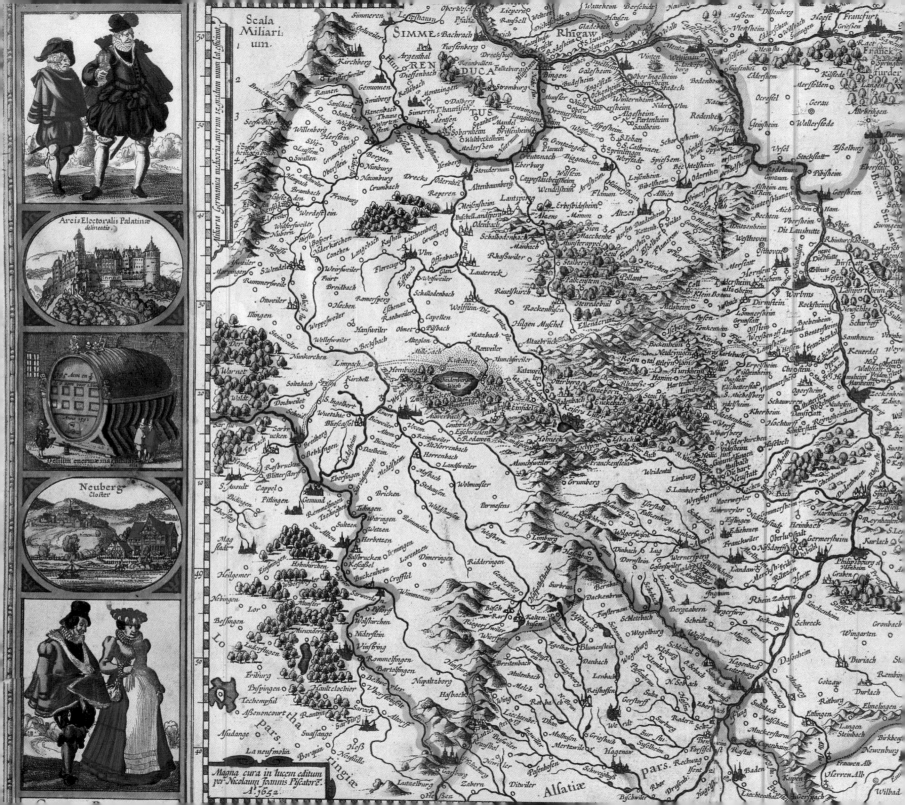